MARIE GRAY

Frédérick

Dérapages et rock'n'roll

MARIE GRAY

Frédérick

Dérapages et rock'n'roll

roman

Guy Saint-Jean ÉDITEUR

Guy Saint-Jean Éditeur
3440, boul. Industriel
Laval (Québec) Canada H7L 4R9
450 663-1777
info@saint-jeanediteur.com
www.saint-jeanediteur.com

• • • • • • • • • • • •

Catalogage avant publication de Bibliothèque et Archives nationales du Québec et Bibliothèque et Archives Canada
Gray, Marie, 1963-
Frédérick : dérapages et rock'n'roll
(Dans ta face ; 1)
Pour les jeunes de 14 ans et plus.
ISBN 978-2-89455-704-4
I. Titre.
PS8563.R414F73 2013   jC843'.54   C2013-941385-5
PS9563.R414F73 2013

• • • • • • • • • • • •

Nous reconnaissons l'aide financière du gouvernement du Canada par l'entremise du Fonds du livre du Canada (FLC) ainsi que celle de la SODEC pour nos activités d'édition. Nous remercions le Conseil des Arts du Canada de l'aide accordée à notre programme de publication.

Gouvernement du Québec — Programme de crédit d'impôt pour l'édition de livres — Gestion SODEC

Conception graphique : Christiane Séguin
Révision : Lysanne Audy
Correction d'épreuves : Jacinthe Lesage
Page couverture : toile de Marie-Josée Perreault

Dépôt légal — Bibliothèque et Archives nationales du Québec, Bibliothèque et Archives Canada, 2013

ISBN : 978-2-89455-704-4
ISBN ePub : 978-2-89455-705-1
ISBN PDF : 978-2-89455-706-8

Distribution et diffusion
Amérique : Prologue
France : Dilisco S.A./Distribution du Nouveau Monde (pour la littérature)
Belgique : La Caravelle S.A.
Suisse : Transat S.A.

Imprimé et relié au Canada
1re impression, août 2013

 Guy Saint-Jean Éditeur est membre de
l'Association nationale des éditeurs de livres (ANEL).

À Samuel et Charlotte,
je suis la mère la plus chanceuse du monde ;D

Un énorme merci à vous qui m'inspirez tant par votre courage et votre détermination: Maude Ève F., Marie-Catherine P., Mélissa B., Élodie G., Jessica G., Marie-Ève, Sarah-Jeanne D., Marie-Noëlle B., Joyce R.-C., Sabrina P., Janick B. Vous êtes des personnes extraordinaires...

À mes lecteurs-critiques, tout plein de mercis pour vos commentaires tellement justes et précieux: Phillippe M., Thomas M.-B., Justin M.-B., Samuel G., Sarah-Jeanne D., Tamara S., ainsi que des remerciements très spéciaux à mes «conseillers» : Nathalie L. et Louis H.

À Alexandra D.-P., Alexandra L., Anne-Marie M., Audrrey B., Catherine M., Claudia R. S.-J., Daphné C., Ève-Marie M.-O., Frédérique B.C., Karolann T., Lancianne D., Lydia D., Marie-Jeanne L., Mathilde S.-J., Mélika P., Mélissa G., Patrick L., Sabrina L.-D., Virginie T. et tous mes autres fans qui m'écrivez sur la page Oseras-tu?, sur Facebook ou ailleurs, merci d'être là, j'vous adore!

À tout le personnel, les intervenants et les jeunes que j'ai eu la chance de rencontrer dans les différents salons du livre et à la Polyvalente Hyacinthe-Delorme, à l'école secondaire Raymond, à l'école secondaire les Etchemins, merci de votre accueil chaleureux et de votre gentillesse. À tous ceux qui, de près ou de loin, veillent au bonheur et au bien-être de nos ados... vous êtes tellement appréciés!

Moi, normal ?

Soûl mort. Encore une fois, les promesses que c'était fini viennent de prendre le bord. Je fais quoi avec l'épave, là, sur le divan ?

Je devais avoir onze ou douze ans quand j'ai réalisé que mon père était un alcoolo. Avant, je croyais les excuses de ma mère, les explications qui n'avaient pas d'allure. Je voulais la croire, évidemment. Sauf que... quand ton père te dit que t'es la plus grosse déception de sa vie, que tu le retrouves à peine une heure plus tard avec une bouteille de gin vide à côté de lui, tu commences à comprendre... Quand tu vois qu'il a le devant du pantalon mouillé parce qu'il était juste trop soûl pour se lever et se rendre aux toilettes, y a pas tellement d'excuses qui tiennent, hein ? C'est sûr qu'à onze ans, t'es con, mais pas si con, quand même !

Sarah-Jeanne, ma blonde, dit que j'aurais pu sortir pas mal plus fucké d'une famille comme la mienne ; elle a sans doute raison. Des fuckés, j'en ai assez connu pour le savoir ! C'est d'ailleurs un peu grâce à l'un d'eux que je suis avec ma belle Saja qui pense que je suis le plus « normal », le plus merveilleux des gars qu'elle a jamais connus.

Mais est-ce que je suis vraiment aussi « normal » qu'elle le croit ? Et puis, c'est quoi au juste, être « normal » ?

CHAPITRE 1

Nos yeux de p'tit kid

On est bien quand on est petit, mais on ne le réalise pas. Dommage. Quand on le comprend enfin, y est trop tard. Ce n'est pas parce que la réalité est différente, mais on ne la voit pas telle qu'elle est parce qu'on a nos yeux de p'tit kid et donc, les problèmes sont invisibles.

Moi, au primaire, je ne voyais rien d'anormal. J'avais des parents ordinaires, je les trouvais corrects, je me souviens même que je les aimais vraiment ; ils m'aimaient, je pense, je ne leur voyais pas vraiment de défauts, la vie était belle, facile. J'avais plein de cadeaux à Noël et à ma fête, j'étais assez gâté, me semble. On avait une belle maison, je me revois lancer le ballon de football avec mon père, avec ma mère aussi, des fois. On riait, on avait du fun. On faisait des affaires en famille, on allait camper, avec des amis de mes parents ou juste tous les trois ; on allait en voyage de temps en temps dans le Sud. C'était cool.

Je m'entendais bien avec mon père quand j'étais petit. Je le trouvais un peu fatigant avec son football, mais je me disais que c'était normal : il avait joué longtemps quand il était jeune et il répétait souvent qu'il aurait pu être un pro s'il ne s'était pas blessé au cégep. Je ne sais pas si c'est vrai, mais c'était ce qu'il disait et je le croyais.

Les problèmes ont commencé quand il m'a inscrit dans une équipe de football. J'avais genre sept ou huit ans. Il l'aurait fait avant, mais ma mère ne le voulait pas, elle disait que c'était un sport trop violent. Elle ne savait pas non plus si j'en avais vraiment envie; en fait, je ne le savais pas moi-même. Mes parents s'entendaient bien, je ne les voyais jamais se chicaner, sauf pour le football. Ma mère a fini par céder. C'est sûr que quand j'ai eu l'uniforme et que j'ai vu combien mon père était fier de moi, j'ai eu le goût d'essayer le sport préféré de mon père, pour lui faire plaisir.

Pour essayer, j'ai essayé. J'en ai passé, des heures d'entraînement, à suer, à me faire plaquer, à donner tout ce que j'avais pour réussir de bons coups. C'était correct au début, mais c'est devenu clair que je n'avais pas ce qu'il fallait. Pas fort sur la compétition, c'est tout. Mais je me forçais quand même. J'ai toffé trois ans.

J'aurais dû lâcher avant, parce qu'après la deuxième année, mon père est passé de fier à débile. J'ai des flashes qui me reviennent. Il me faisait pratiquer avec lui chaque fois qu'il avait le temps. Moi, j'avais envie de relaxer, surtout si j'avais eu une pratique avec l'équipe cette journée-là, mais pour lui, ce n'était jamais assez. Il me faisait travailler encore plus fort, me poussait au max, m'engueulait souvent quand je n'arrivais pas à faire ce qu'il voulait. Ma mère n'était clairement pas d'accord. Elle essayait de le raisonner, mais ça donnait juste d'autres chicanes.

La dernière année, c'est devenu pénible. Je ne le comprenais pas, mon père. Il engueulait les entraîneurs quand il pensait que je n'étais pas assez souvent sur le terrain, mais quand je jouais, il me critiquait et me faisait sentir comme si j'étais le pire joueur de l'équipe. Ma mère avait décidé de ne plus venir aux parties, elle disait que ça la rendait folle d'entendre mon père gueuler.

À ma fête de dix ans, mon père m'a donné un nouveau ballon et de l'équipement pour m'entraîner à la maison. Il disait que j'étais trop maigre, qu'il fallait que je devienne plus fort. J'ai essayé d'avoir l'air content, mais quand j'ai vu que ma mère m'avait acheté plein de crayons à dessin, un chevalet et des papiers, mon sourire en a dit plus long que n'importe quoi d'autre. Mon père a pogné les nerfs. Il a regardé ma mère, l'a accusée de tout gâcher avec des cadeaux inutiles et de m'encourager avec des «affaires de moumoune». Ce soir-là, il est sorti pour revenir longtemps après que je m'étais couché, le ventre bien plein de gâteau au chocolat et la tête remplie d'idées de dessins. J'étais déçu qu'il soit parti en plein milieu de ma fête et j'étais blessé de sa réaction. Ça me faisait mal, en dedans, que mon père critique ce que j'aimais et soit déçu de moi, mais... les crayons en valaient la peine.

Ça paraissait que mon père était frustré, mais je ne pouvais pas m'empêcher d'aimer mille fois mieux dessiner que jouer au football. Ça le faisait suer. J'avais pourtant tellement essayé de lui faire plaisir ! Mes efforts n'avaient rien donné et j'étais fâché d'avoir mis tant d'efforts sans qu'il l'apprécie.

Il aurait dû comprendre le message, mais vu que la saison de football n'était pas finie, il m'a forcé à continuer. Il disait qu'il avait dépensé une fortune pour m'inscrire et m'équiper et que si je ne comprenais pas à quel point j'étais chanceux d'avoir un père qui l'encourageait, c'était mon problème, pas le sien. Là, je commençais à trouver qu'il n'était pas très *fair*. Ma mère m'a conseillé de continuer même si je n'en avais plus envie vu qu'il restait juste quelques mois. C'est ça que j'ai fait. C'était l'enfer.

Dans l'auto, en allant aux pratiques et aux parties, il n'arrêtait pas de me dire ce qu'il fallait que je fasse, comment le faire et à quel moment. Ça me stressait tellement qu'une fois arrivé sur le terrain, j'oubliais tout et je n'arrivais plus à me concentrer. Je me faisais donc rentrer dedans trop souvent. C'est ma mère, énervée par le fait que deux gars de mon équipe avaient eu des commotions cérébrales, qui a fini par convaincre mon père qu'il était temps que ma saison – ma carrière – soit finie. Ça a mis fin au fun avec mon père en même temps.

Pendant ces années-là, je ne me rendais pas compte que mon père était souvent soûl. C'est quelques années plus tard que j'ai compris. Quand ma mère me disait : « T'en fais pas, il a juste un peu trop bu ce soir », je ne m'en faisais pas, comme elle le disait.

Toutes les fins de semaine commençaient de la même façon. Le vendredi avant le souper, il prenait l'apéro. *Des* apéros. Il buvait, pendant le souper, de grands verres de ce qu'il appelait sa « liqueur spéciale ». Quand ma mère lui disait qu'il en avait déjà pris pas mal, il s'approchait d'elle et lui disait : « Ah, arrête donc ! J'ai eu une longue et dure semaine, j'ai bien le droit de décompresser la fin de semaine. Viens me donner un bec, à la place de me chicaner ! » Ça semblait la calmer et elle retrouvait le sourire.

La même chose recommençait le samedi, dans l'après-midi, avec quelques bières. Un moment donné je me suis rendu compte qu'il en avait presque toujours une à la main. Des fois, je lui demandais s'il avait envie qu'on se lance le ballon, comme on faisait avant. J'essayais de me racheter. Mais il me regardait avec un petit air fendant. Il n'avait pas besoin de rien dire, je savais qu'il pensait que ça ne servait à rien, que je n'étais pas assez bon pour que ça soit l'fun. J'allais dessiner.

J'ai encore d'autres flashes qui me reviennent. Il faisait quand même ce que les autres pères que je connaissais faisaient : il tondait le gazon, s'occupait de la piscine, allait faire des commissions, écoutait la télé. Par contre je trouvais que, rendu au soir, il était comme « lent ». Il parlait lentement, se « reposait » avec une bière de plus. En soirée, c'était invariable, il articulait super mal, marmonnait, faisait parfois un petit somme et se réveillait avec une bière ou une « liqueur ».

Ma mère avait l'air de plus en plus déçue. Je le voyais à son air quand elle regardait mon père, mais je pense qu'elle faisait un effort pour ne pas dramatiser. Elle me disait : « Tu sais combien j'haïs la chicane ! Et puis ton père a plein de qualités, il peut bien avoir un petit défaut. » Souvent, je remarquais que ma mère le laissait parler sans répondre. Et il parlait. D'un tas de choses sans lien, passant tout le temps d'un sujet à un autre. Quand il était de bonne humeur, il parlait des voyages qu'il aimerait faire et là ma mère était toute contente. Sinon, il pestait contre les élections, les nouveaux voisins, des Grecs qu'il trouvait traîneux et bruyants, et dans ces cas-là, même à mon âge, je voyais que ma mère soupirait d'impatience. Ah, c'est vrai! Il parlait aussi de moi. Des fois, quand il pensait que je ne les entendais pas, mon père disait des affaires du genre:

— Tu sais que je l'aime, mais t'avoueras que c'est décevant. J'ai juste un gars, et il aime mieux dessiner ou écouter de la musique que de jouer au football. Mon propre gars. Je me demande d'où il sort, des fois. Un peu plus, je me demanderais si c'est vraiment mon fils! Comment ça se fait, donc, qu'il n'est pas plus comme moi?

Et invariablement, ma mère répondait quelque chose comme:

— Il est qui il est, c'est un p'tit gars extraordinaire. Regarde donc ses qualités et ses talents au lieu du reste...

Super. Quand j'entendais mon père dire ce genre d'affaires-là, je me sentais mal, tout petit, insignifiant, comme si je ne méritais pas qu'il m'aime, que s'il était déçu de moi, c'était ma faute. Une chance que ma mère avait l'air de m'aimer, elle! Des fois, par contre, il était drôle. En tout cas, je trouvais ça drôle dans le temps. Une fois, il est tombé dans la piscine tout habillé en essayant de sortir un matelas soufflé que le vent avait poussé dedans. J'avais tellement ri! Ma mère, elle, ne riait pas trop. Elle était comme gênée. Une autre fois, il avait déboulé l'escalier de la galerie et s'était retrouvé sur le dos. Tout fier, il avait levé le bras qui tenait toujours son verre et avait dit à ma mère : « Hey, j'en ai pas renversé une goutte ! » J'avais ri là aussi, mais ma mère s'était contentée de lui apporter une débarbouillette parce qu'il saignait au-dessus de l'œil. Il s'était réveillé le lendemain avec une grosse prune sur le front et ne se souvenait plus de ce qui s'était passé. Là, j'étais plus certain que j'étais supposé trouver ça drôle.

Je me souviens d'un soir d'hiver où, quand ma mère était sortie, mon père m'avait emmené glisser sur la grosse butte au parc pas loin de chez nous. Il était tard, il faisait noir, mais c'était excitant de glisser sans voir où on allait, juste de sentir le vent et d'avoir un peu peur. Quand elle est rentrée et l'a su, ma mère a piqué une vraie crise. C'était la première fois que je la voyais se fâcher aussi raide après mon père. Elle n'arrêtait pas de lui dire qu'il aurait pu me tuer, que c'était trop dangereux, qu'on aurait pu foncer sur les poteaux ou dans la clôture. Elle disait que mon père était complètement irresponsable, qu'il était chanceux que rien ne me soit arrivé et plein d'autres affaires du genre. Mais plus que tout, elle disait qu'elle n'arrivait pas à comprendre qu'il ait pu faire ça : « Je te reconnais plus ! Voyons, qu'est-ce qui te prend, André ? T'avais trop bu encore ? Au point de risquer la vie de ton propre gars ? »

Aujourd'hui, je réalise bien qu'elle avait raison : on aurait pu foncer directement dans le muret ou dans un poteau et j'aurais pu me casser le cou. Mon père n'était pas du tout en état de me surveiller, encore moins de me protéger. Je ne compte plus les fois où il m'a ramené en voiture de mes cours de dessin complètement soûl. Je dois avoir un bon ange gardien. Ma mère ne se doutait pas qu'il en était rendu à boire sur l'heure du midi à la brasserie à côté du local de mes cours. Moi, je le savais, mais sans comprendre à quel point ce n'était *pas normal.* Plusieurs fois, j'avais été le dernier à partir. Tous les autres parents étaient venus chercher leur enfant, et moi, j'attendais, tout seul comme un cave sur le trottoir. Je me disais que mon père était juste dans la lune, qu'il avait dû rencontrer des amis et qu'il n'avait pas réalisé que le temps passait.

Un jour, par contre, il m'a carrément oublié. Je finissais à trois heures et une heure plus tard, il n'était toujours pas arrivé. J'étais habitué à ce qu'il soit quinze ou même trente minutes en retard, mais là je commençais à m'inquiéter. J'ai demandé au prof de téléphoner à mon père, mais il ne répondait pas sur son cellulaire. J'ai attendu encore un peu, mais c'était l'hiver et comme il allait bientôt faire noir, je n'aimais pas ça. Mon professeur est venu me voir et m'a demandé de téléphoner à ma mère parce qu'ils allaient bientôt fermer le local. Ils ne pouvaient pas laisser un enfant de dix ans tout seul dehors, quand même !

Quand ma mère est arrivée, elle était enragée. Je suis monté dans l'auto et, en me regardant à peine, elle m'a dit :

— Je suis désolée que t'aies eu à attendre aussi longtemps, Fred. Je t'aime. Attends-moi ici, je reviens dans deux minutes, je te promets.

Elle est allée dans la brasserie et j'ai compté… jusqu'à 118 avant qu'elle ressorte. Elle était blanche comme un drap et elle tremblait de rage. Ses lèvres étaient pincées et elle regardait droit devant elle, la mâchoire crispée. Elle me faisait peur, je trouvais qu'elle ressemblait à une sorcière. J'ai pensé qu'elle était fâchée contre moi sans que je puisse comprendre ce que j'avais pu faire de mal, mais je me trompais. Ce soir-là, mon père est venu dans ma chambre et m'a dit :

— Tu viens de me mettre dans le trouble pas à peu près. Tu pouvais pas juste m'attendre, hein ? Il a fallu que tu ailles brailler à ta mère ?

— C'est pas ma faute, c'est mon prof…

— C'est ça, blâme ça sur quelqu'un d'autre ! J'ai pas vu le temps passer, c'est tout. Là, ta mère s'imagine toutes sortes d'affaires, elle boude. Tout ça à cause de toi. La prochaine fois, agis donc comme un homme ! Pas un mot. T'as pas besoin de bavasser, viens me voir, on va régler ça.

— Bin là, papa, tu m'as déjà dit que j'avais pas le droit de rentrer dans la brasserie ! Si tu répondais à ton cell, aussi…

— Hey, c'est pas ma faute à moi si t'es pas débrouillard. Ta mère sera pas toujours là pour te tenir la main.

Il est sorti de ma chambre, et l'air qu'il avait sur le visage m'a fait monter les larmes aux yeux. Il avait l'air dégoûté, comme s'il avait honte de moi. Je ne savais plus quoi penser ni ce qu'il aurait fallu que je fasse. J'ai commencé à me dire que peut-être tout ça n'était pas complètement normal, finalement.

Le temps a passé sans qu'il y ait de changement. Je ne savais pas trop comment agir, où me situer par rapport à mon père. J'essayais de ne pas le décevoir, mais peu importe ce que je faisais, il n'était jamais content. Je ne voulais pas choisir de camp, mais il était clair que mes deux parents n'étaient plus du même bord et c'était beaucoup plus tentant de me ranger du côté de ma mère. Je commençais à avoir vaguement honte de mon père même si je ne m'y attardais pas trop parce que ce n'était pas plaisant. Il m'énervait quand il radotait tout le temps les mêmes affaires, quand il marchait tout croche ou qu'on ne comprenait carrément pas ce qu'il disait parce qu'il avait l'air d'avoir la bouche trop molle pour articuler. Il me critiquait tout le temps. Chaque fois qu'il me voyait dessiner, il faisait une grimace comme si ça lui tapait sur les nerfs. Et il se versait un autre verre. Combien chaque jour ? Trop, je commençais enfin à le comprendre, et je ne pouvais pas m'empêcher de penser que c'était peut-être ma faute parce que je n'étais pas le gars qu'il aurait aimé avoir. Et ça, j'avais beaucoup de difficulté à l'avaler. J'avais essayé, mais il me semblait que je n'avais pas à me forcer pour être quelqu'un que je n'étais pas, en tout cas, c'était ce que me disait tout le temps ma mère, et je trouvais qu'elle avait raison. De toute façon, il était plus simple de continuer ma petite vie sans trop me poser de questions. Je venais de commencer le secondaire et je trouvais ça un peu excitant, pas mal différent du primaire et j'avais l'impression d'être grand même si par rapport aux gars de secondaire quatre et cinq, j'étais encore un petit.

J'avais de bons amis, mais pas une tonne. J'ai découvert la batterie. Il y avait un local de pratique de musique à l'école et j'ai eu comme un coup de foudre pour le vieux set de drums Yamaha qui était là. C'était la première fois que je voyais une batterie de proche et j'ai tout de suite voulu en jouer. J'ai essayé, j'ai tripé, y a un gars de secondaire quatre qui m'a montré quelques trucs et ça y était. Comme si c'était ça que j'avais attendu toute ma vie. Je savais bien qu'il n'était même pas question que je parle à ma mère d'avoir mon kit à moi. Mettons que l'ambiance à la maison était assez ordinaire.

Et c'est devenu pire quand mon père s'est fait congédier vers la fin de septembre.

CHAPITRE 2

Vive le chômage !

Ma mère m'a appris que mon père avait perdu son travail et m'a dit qu'il s'y attendait, qu'il y avait des coupures depuis un bout de temps. C'était pour ça qu'il avait été aussi stressé dernièrement, qu'elle disait. Moi, je trouvais que ça faisait *longtemps* qu'il l'était, mais bon. Ma mère m'a dit de ne pas m'inquiéter, qu'il se trouverait un nouvel emploi rapidement et que tout redeviendrait comme avant. Normal. OK. Comme avant quand, au juste ? Avant qu'il devienne « stressé » ? Je la croyais.

Au bout de deux semaines, j'ai bien vu que ça ne se passerait pas comme ma mère l'avait prévu. Ce n'était plus juste la fin de semaine, maintenant, que je pouvais voir mon père s'enfarger et se frotter sur les murs en marchant, mais presque tous les soirs. Il marmonnait, chialait, avait l'air bête et on ne comprenait rien quand il parlait. C'était sûrement une bonne chose – pas sûr que j'aurais aimé ce qu'il disait. Ma mère, elle, avait l'air tellement triste, fâchée et découragée que je me demandais pourquoi, au juste, elle ne faisait rien, comme l'engueuler, par exemple. Elle me disait que ça ne servait à rien de lui parler quand il était soûl, qu'il ne se souviendrait plus de rien deux minutes plus tard. Je pouvais le comprendre, mais comme mon père était tout le temps soûl, je me demandais bien combien de temps ça continuerait comme ça. Ma mère a essayé de m'expliquer que mon père avait changé, qu'il n'était plus l'homme qu'elle aimait tant et qu'elle ne savait pas vraiment ce qui se passait. Mais elle voulait l'aider, le retrouver, et essayait de me faire saisir comment elle voyait les choses :

— Tu sais, je l'aime, ton père, et il nous aime, lui aussi, il est juste pas dans son état normal. Je vois ce qui se passe et je vais tout faire pour l'aider. Depuis le temps qu'on est ensemble, je lui dois bien ça… j'attends juste le bon moment pour lui parler. Il a assez de misère comme ça, avec ce qui est arrivé à son travail, je vais pas en rajouter…

Moi, même si j'adorais ma mère, je ne comprenais pas sa réaction et je la trouvais un peu peureuse. Ça serait quand, le bon moment ?

Plus les jours passaient, plus mon père m'écœurait. Je ne comprenais pas pourquoi il n'avait pas déjà trouvé un autre emploi et je commençais à me demander s'il en cherchait vraiment un. Ma mère ne m'avait pas reparlé et je n'avais pas posé de questions. Un soir, par contre, la peur a remplacé l'écœurement. Mes parents avaient invité des amis pour le souper.

Mon père disait vouloir voir du monde, se changer les idées. Ma mère n'avait pas l'air sûre que ce soit une bonne idée, mais elle a tenté sa chance. En fait, elle m'a dit qu'elle espérait que leur ami aiderait mon père à se trouver un emploi où il travaillait.

Au début de la soirée, c'était correct, mais après que mon père a vidé sa bouteille de vin et quelques verres de liqueur, l'ambiance s'est transformée. Alors qu'il discutait de politique avec son ami, il s'est énervé. Il disait que tous les politiciens étaient corrompus, pourris. Il avait ce ton que j'avais appris à détester : hargneux, chialeux, celui que ma mère s'obstinait à ignorer. Chaque fois que quelqu'un parlait, il sortait des commentaires négatifs et il a fini par devenir carrément agressif. Ma mère était exaspérée et je voyais bien qu'elle essayait d'excuser le comportement de mon père. Elle essayait de le calmer, mais il n'y avait rien à faire. Finalement, mon père a traité le patron de son ami de profiteur et a accusé son ami de se laisser faire, d'être trop mou pour lui tenir tête. Il a continué en lui demandant s'il aimait ça, être un lèche-cul, et en disant que lui, il n'avait jamais accepté de faire la même chose et c'est pour cette raison que son patron l'avait congédié. « Au moins, j'ai du *guts*, moi ! Mon prochain boss va savoir que je suis pas un peureux ! » Il y a eu un malaise. Un gros, gros malaise. Ma mère a essayé de faire une blague qui n'a pas marché, elle s'est mise à ramasser la table et les deux amis l'ont aidée. Je suis resté là avec mon père et il avait l'air dans sa bulle. J'entendais ma mère s'excuser dans la cuisine.

Quand ils sont revenus, elle a décidé de montrer à leurs amis la dernière série de dessins que j'avais faits. Elle essayait de faire comme si la situation était normale, et tout le monde faisait semblant que rien de bizarre n'était arrivé, mais je sentais quand même la tension et j'étais content que mon père ne soit plus le centre d'attention. J'avais fait beaucoup de progrès avec mes cours et j'avais dessiné une quantité industrielle de croquis. Ma mère était très fière et, même si ça me gênait qu'elle montre mes derniers chefs-d'œuvre, j'étais flatté qu'elle les aime autant. C'était une série de dragons et de créatures fantastiques, je tripais sur ça, à cet âge-là, et je mettais vraiment beaucoup de détails. Ma mère était justement pâmée sur les détails et mon imagination qu'elle trouvait incroyable. L'ami de mes parents m'a dit :

— Wow, Frédérick, ça me fait penser à des super belles pochettes de disque. Me semble que ça marcherait. T'sais, quelque chose de rock, assez *heavy*…

Avant que j'aie le temps de répondre, mon père s'en est mêlé :

— Des pochettes de disque, c'est ça, oui. Une belle perte de temps, j'trouve, moi. Veux-tu me dire ce que tu vas faire dans la vie avec ça ? Ça sert à rien, c'est pas ça qui va te donner un salaire ou une bourse pour l'université. Si t'avais continué dans le football, au moins, t'aurais pu te rendre loin, ça t'aurait aidé pour plein de choses. Mais non. Mon gars est un *artisssse* à la place. Faut-tu être malchanceux !

Un autre malaise. Tout le monde s'est regardé en soupirant, excepté mon père qui avait vraiment l'air de se rendre compte de rien. Moi, je sentais ma gorge toute serrée. J'ai eu envie de pleurer ou de frapper mon père. Ou les deux. Ma mère a réagi :

— Si t'es incapable de voir que ton gars a du talent et de l'encourager dans ce qu'il aime vraiment, au moins, tais-toi.

C'était évident qu'elle aurait aimé ajouter quelque chose, des tas de choses, peut-être, mais elle se retenait de peine et de misère. Les amis de mes parents ont décidé à ce moment-là qu'il commençait à être tard, qu'ils « devraient penser à y aller ». Pas étonnant.

Aussitôt qu'ils ont été partis, je suis allé dans ma chambre. J'entendais ma mère qui nettoyait la cuisine et la table et par le bruit qu'elle faisait, c'était clair qu'elle était fâchée. Après un bout de temps, je suis sorti et je suis allé vers la cuisine pour lui offrir de l'aider. Au même moment, mon père, qui avait l'air complètement dans le champ, lui a dit :

— Coudon, tu trouves pas qu'ils sont partis vite ?

On a même pas eu le temps de prendre un digestif !

Mes parents ne savaient pas que j'étais là et je suis resté silencieux pour entendre la suite. Ma mère s'est arrêtée net et a dévisagé mon père. Il restait là, sans rien voir ni comprendre, l'air complètement épais. Il a soupiré fort :

— Bon, qu'est-ce qu'il y a encore ?

— Qu'est-ce qu'il y a ? Tu vas me faire croire que tu t'es rendu compte de rien ? T'as pas arrêté de chialer contre tout et tout le monde toute la soirée. Même le patron de Jean-Luc y a passé, et Jean-Luc lui-même que t'as traité de lèche-cul. Bravo. Moi qui pensais qu'il aurait pu t'aider à te trouver un nouveau travail à son bureau. Pour finir, tu t'es moqué de notre gars devant des amis, pour quelque chose qui devrait plutôt te rendre fier, en plus. Et tu me demandes ce qu'il y a ? Je sais que t'es stressé ces temps-ci, c'est pour ça que je t'achale pas, mais ça commence à faire, là. C'est peut-être ton excuse pour prendre un coup pratiquement tous les soirs, mais t'es allé trop loin.

Il l'a regardée sans rien dire pendant quelques secondes. Il souriait, en fait, d'un petit sourire méchant.

— Moi, je chiale ? Tu peux bien parler ! Si quelqu'un chiale tout le temps ici, c'est pas moi ! Tu devrais apprendre à te fermer la gueule avant de dire n'importe quoi.

Ma mère, surprise, est restée là, la bouche grande

ouverte. Il ne lui avait jamais parlé comme ça. Au lieu de s'excuser, il a continué :

— Bon, enfin, c'est ça que ça prenait pour que tu la fermes. J'en peux plus que tu me critiques tout le temps, je fais jamais rien à ton goût, j'ai jamais le droit d'avoir mon opinion. Un travail au bureau de Jean-Luc ? J'aimerais mieux mourir que de travailler pour un épais comme son patron. Si lui est trop stupide pour s'en rendre compte, c'est son problème, mais je suis pas obligé de faire pareil. Je vais m'en trouver, un emploi, fais-toi z'en pas, et j'ai besoin de personne pour ça. À part ça, les petits dessins de ton gars, c'était cute quand y avait six ans, mais là il serait peut-être temps qu'il passe à autre chose. Il va aller nulle part dans vie avec ses maudits dessins. C'est pas ma faute si t'es trop conne pis que tu le traites encore en bébé...

Un bloc de ciment sur la tête de ma mère aurait fait le même effet. Visiblement blessée, elle s'est mise à pleurer. Après un moment, elle lui a dit en reniflant :

— Je sais pas ce qui se passe, mais j'en peux plus, André. T'es pas le gars que j'ai marié, je te reconnais vraiment plus. Pour qui tu te prends de me parler sur ce ton-là ?

— J'me prends pour ton mari, j'aurais dû faire ça depuis longtemps ! Je reste là à endurer tout ça sans rien dire pour qu'on arrête de s'engueuler parce que t'aimes pas les chicanes ! Peut-être que si t'essayais, toi aussi, d'avoir du fun au lieu de tout le temps me gâcher le mien, si t'arrêtais d'encourager ton gars avec des affaires inutiles et stupides, si t'arrêtais de le monter contre moi, on s'engueulerait moins souvent !

Et là, ma mère lui a lancé au visage le contenu du verre de vin qu'elle venait de ramasser. Le temps s'est comme arrêté. J'ai vu la colère de mon père lui monter à la tête, littéralement. Il a serré les poings, son visage est devenu tout rouge. Il a empoigné ma mère aux épaules et l'a brassée. Fort. J'étais tellement surpris que j'ai figé.

— Ça va faire, me traiter de même. Je t'ai donné une belle maison, une belle vie, je te traite comme une reine, sacre-moi patience. Je sais pas ce que tu veux de moi, mais moi, j'en veux plus d'une fatigante jamais contente. Si ça fait pas ton affaire, on va la vendre, la maudite maison, pis on va s'en aller chacun sur notre bord. Je pourrais peut-être me trouver une femme moins frigide, pas mal plus facile à contenter, et j'aurais plus besoin de voir mon gars se transformer en maudit paresseux même pas capable d'attraper un ballon !

Pendant qu'il lui crachait tout ça au visage, il brassait ma mère, la secouait, au point où sa tête frappait le mur. J'étais paralysé. Ils ne savaient toujours pas que j'étais là, mais la troisième fois que sa tête a cogné – je les avais comptées, un, deux, trois –, j'ai crié :

— Papa, arrête !

Il a arrêté d'un coup sec, m'a regardé, a lâché ma mère et est sorti de la maison. J'ai entendu l'auto démarrer et les pneus crisser.

Après être restée immobile un moment, ma mère s'est mise à glisser le long du mur, comme au ralenti. Elle tremblait et regardait devant elle, dans le vide. Puis, accroupie au sol, elle a mis ses bras autour de sa tête et s'est mise à pleurer. Je ne savais pas quoi faire, mais de voir ma mère comme ça m'a fait pleurer aussi et m'a mis dans une colère incroyable.

Je pense que c'est là que j'ai commencé à haïr mon père. Je suis parti dans ma chambre et j'ai pleuré comme quand j'étais bébé, mais de rage.

*   *   *

Plus tard ce soir-là, ma mère est venue me voir dans ma chambre. J'avais l'impression d'être au milieu de la nuit, mais je ne dormais évidemment pas. Ma mère avait les yeux tout gonflés, mais elle ne pleurait plus. Elle avait l'air vraiment fatiguée. Assise au bord de mon lit, elle m'a flatté les cheveux et ça m'a juste donné envie de recommencer à pleurer. Mais je me retenais. Je voulais avoir l'air fort, solide, elle avait déjà assez de peine comme ça.

— Je ne sais pas ce qu'il lui a pris, Frédérick, mais je pense que ton père a un sérieux problème. C'était pas lui, ce soir, c'était quelqu'un d'autre qui a pris un coup. Quand il boit, il change, il devient une autre personne. Je n'excuse pas ce qu'il a fait ou dit, mais ça arrive à tout le monde de dire des affaires qui dépassent la pensée à cause de la colère ou de la boisson. Il est allé loin, trop loin, mais je ne veux pas que tu t'inquiètes ou que tu sois fâché après lui. Je vais lui parler. On va régler des affaires, lui et moi.

Je ne savais pas trop quoi penser. Oui, je comprenais que la colère pouvait nous faire aller trop loin. J'avais déjà été en colère, moi aussi, mais mon père était un adulte, il me semblait donc qu'il était supposé être capable de se contrôler, non ? Il avait frappé ma mère, quand même ! Je comprenais aussi que la boisson pouvait avoir joué un rôle, mais je ne pensais pas être capable de lui pardonner ça. Et ce qui ne me rentrait pas dans la tête, c'était : pourquoi il buvait si ça le rendait aussi con ? Si quelque chose te rend con de même, tu le fais pas, c'est tout. Simple, non ?

* * *

Apparemment, ce n'était pas aussi simple, justement. Ma mère m'avait dit qu'elle lui parlerait, qu'ils régleraient des affaires, elle et lui, et je l'avais crue. Ce que je voyais, par contre, c'était le contraire : elle ne lui adressait presque plus la parole. Elle m'avait dit qu'elle attendait des excuses, mais mon père n'avait pas l'air pressé d'en faire et je n'étais pas si sûr qu'elle lui en ait vraiment demandé.

Ça a duré comme ça pendant des semaines où l'air de la maison, empoisonné par la colère de tout le monde, a été difficile à respirer. Mon père s'est trouvé un autre emploi, mais ça n'a rien arrangé. Ma mère l'évitait, et lui restait enfermé dans un air bête constant. Les soupers étaient le pire. On les passait dans un silence pesant qui nous écrasait. Je pouvais presque toucher la tristesse de ma mère et voir le mur que mon père avait dressé autour de lui, comme pour nous tenir éloignés.

Moi, je me dépêchais de finir mon assiette pour pouvoir aller dans ma chambre écouter de la musique. Je voulais jouer de la batterie plus que jamais et je me demandais si ce rêve se réaliserait un jour. Je découvrais plein de bands qui me faisaient vraiment triper et je tapochais partout et sur tout avec des baguettes que j'avais empruntées à l'école. J'avais dit à ma mère combien je voulais jouer de cet instrument et elle m'avait dit qu'elle regarderait s'il n'y avait pas des cours que je pourrais prendre dans notre coin pour voir si j'aimais vraiment ça. Moi, je savais que j'aimais vraiment ça et je voulais m'acheter un drum plus que tout, mais ce n'était pas possible à cause de l'ambiance dans la maison. Je n'avais pas besoin de dessin pour comprendre que ça ne passerait pas. La réaction négative de mon père était vraiment facile à imaginer! Ma mère m'a demandé d'attendre que les choses se calment à la maison pour y penser. En attendant, des cours me feraient patienter. OK, je pouvais vivre avec ça.

À ma connaissance, mon père ne s'était toujours pas excusé à ma mère – ni à moi, d'ailleurs – pour ce qui s'était passé ce fameux soir où il l'avait brassée. Je trouvais ça con, surtout venant du gars qui m'avait toujours dit à moi de m'excuser quand j'avais fait quelque chose de mal, et je ne comprenais pas pourquoi ma mère ne pouvait pas juste lui demander de le faire.

— On est plus des petits enfants, Frédérick. Je peux pas lui demander de s'excuser comme je te demandais de le faire quand tu t'étais chicané avec ton ami. Faut qu'il comprenne pourquoi ça marche pas, qu'il admette qu'il y a un problème. Sinon, ça veut rien dire...

— Peut-être, mais il me semble quand même qu'il faudrait que tu fasses quelque chose. Lui parler, peut-être?

Elle n'y croyait plus. C'est d'une voix triste qu'elle m'a dit:

— J'ai essayé, il s'est énervé. Depuis qu'on se

connaît, j'ai toujours été capable de lui parler, mais là je sais plus comment y arriver. Mais tu as raison, il va falloir qu'il se passe quelque chose, on peut plus continuer comme ça. Donne-moi encore un peu de temps...

Encore une fois, j'ai trouvé ma mère un peu peureuse, mais je ne pouvais pas faire grand-chose d'autre que m'inquiéter et me la fermer. Je commençais à me demander si mes parents se sépareraient. J'avais des amis à qui c'était arrivé et ça m'avait fait peur même si ça avait l'air d'assez bien se passer pour eux. Maintenant, je n'avais plus peur. En fait, je m'en foutais un peu parce que la façon dont on vivait n'avait pas vraiment d'allure. Je m'imaginais de mieux en mieux continuer à vivre juste avec ma mère sans m'ennuyer de mon père une seule seconde.

Je suis parti une fin de semaine au chalet de Charles, un de mes amis. C'est là que pour la première fois, malgré moi, je me suis mis à comparer sa famille avec la mienne. J'ai comme compris que ce n'était pas tous les pères qui se ramassaient soûls le soir, qui chialaient et critiquaient tout et tout le monde. Je me demandais pourquoi je n'avais pas pu avoir une famille comme celle-là. On a fait du ski-doo, on a patiné sur le lac, on a mangé des guimauves grillées sur le feu de foyer, on a dessiné et personne ne trouvait ça con. Tout le monde était calme, il n'y avait pas de chicane, pas de tension. Je serais resté là pendant… tout le temps, en fait.

Quand je suis revenu le dimanche soir, ma mère est venue me rejoindre dans ma chambre. Elle m'a dit qu'elle avait finalement « discuté » avec mon père. Il s'était enfin excusé, avait avoué qu'il buvait un peu trop et lui avait promis qu'il arrêterait pendant un bout de temps, au moins pour lui montrer que ce n'était pas un problème, qu'il pouvait arrêter n'importe quand. Ma mère n'avait pas l'air convaincue, mais elle ne me l'a pas dit clairement. Je pense qu'elle voulait croire mon père et lui donner une chance. Je me suis dit que je pouvais bien faire la même chose.

Il a donc arrêté de boire. Ma mère voulait qu'il aille à des rencontres des Alcooliques Anonymes, mais il a refusé :

— Franchement, Céline, je suis quand même pas rendu là. Je me contrôle très bien, j'ai pas besoin d'aller raconter mes problèmes à une bande d'inconnus, des *losers* en plus. T'exagères, de toute façon. C'est pas parce que j'ai eu un petit moment de déprime que je suis alcoolique ! Tout le monde en ferait autant après s'être fait mettre à porte comme je l'ai été. C'était un problème temporaire, c'est fini maintenant. Je suis un grand garçon.

Du jour au lendemain, plus de bières dans le frigo, plus de liqueurs spéciales non plus. OK. Sauf que mon père, après à peine une journée sans alcool, était un paquet de nerfs incroyable. Il bougeait tout le temps, chialait plus que jamais devant la télé et était encore plus impatient que d'habitude. Si j'avais le malheur de tapocher avec mes doigts sur la table pendant le souper, il me lançait des éclairs avec ses yeux et soupirait en levant les yeux au ciel. Je faisais pourtant attention – je sortais mes baguettes juste dans ma chambre –, mais même ça, ça le rendait fou. On osait à peine parler, ma mère et moi, de peur de le faire capoter. Si on l'ignorait, ce n'était pas mieux, il nous disait qu'il n'était pas invisible, qu'on ne s'occupait pas de lui. Une fois, pendant qu'il lisait son journal, j'ai vu à quel point ses mains tremblaient. Depuis, il les gardait toujours cachées dans ses poches ou en dessous de la table. On marchait dans la maison sans faire de bruit, on essayait de ne pas le déranger. C'était vraiment fatigant. Je m'arrangeais pour aller chez Charles aussi souvent que je le pouvais. Ma mère me disait que ça allait s'améliorer, que c'était difficile au début, mais que ça se replacerait et qu'après, tout allait revenir comme avant. Je l'avais déjà entendue, celle-là. Le plus bizarre, c'est que je ne m'en souvenais plus vraiment, de comment c'était avant. En fait, je n'étais même plus sûr que ce soit une si bonne chose, qu'il ait arrêté de boire. S'il prenait juste une bière ou deux, ça le calmerait peut-être? Eh non! Ça a l'air que ça marchait pas de même.

CHAPITRE 3

Un, deux, trois, quatre!

Le temps a continué à passer sans que je m'en rende vraiment compte. J'ai fini mon secondaire un, j'ai commencé mes cours de batterie en même temps que mon secondaire deux et comme je pensais, je tripais. Fort. J'aurais voulu en prendre plus qu'un par semaine, mais ça coûtait assez cher alors je me contentais de tapocher encore et encore à la maison, sur mes cahiers ou sur des coussins pour faire le moins de bruit possible. Même si mon père ne buvait plus, c'était ma mère qui me conduisait à mes cours ou chez mes amis. Elle ne m'oubliait pas, elle. Mon père, lui, ne faisait pas grand-chose d'autre qu'aller travailler et nous taper sur les nerfs. Les soirs de semaine, il me faisait penser à un lion pris dans une cage trop petite. Il tournait en rond, avait l'air énervé. Faut croire que c'était son état normal parce que ça faisait quand même plusieurs mois qu'il ne buvait plus. Il allait se coucher de bonne heure, mais il se levait plusieurs fois pendant la nuit et ça me réveillait. Au matin, il avait l'air d'avoir passé la nuit sur un banc de parc. La fin de semaine, c'était pire, il fallait toujours qu'il soit occupé à faire quelque chose. Il ramassait en chialant la moindre petite affaire qui traînait, il essayait de réparer des petites choses dans la maison en sacrant ou regardait la télé et je n'avais pas le droit de changer de poste. Épuisant.

Le temps passait et l'ambiance, au lieu de s'améliorer, empirait. Mon père pognait les nerfs pour rien, se permettait toujours des remarques méchantes envers ma mère et moi : « C'est une vraie soue à cochons, ici ! », « On mange encore la même affaire ? », « J'peux pas juste avoir la paix ? », « Arrête de tapocher, Fred ! T'avais pas assez d'une affaire inutile avec le dessin ? On dirait que tu fais exprès pour me tomber sur les nerfs ! » Quand je ne l'énervais pas, il m'ignorait. J'pense que c'était mieux.

Après quelques semaines d'enfer, il s'est mis à sortir. De temps en temps, après le souper. Il disait qu'il allait se promener, que ça lui faisait du bien de prendre de l'air surtout que le printemps était là et qu'il faisait beau. Puis, c'est devenu presque tous les soirs. Au début, j'étais soulagé parce que je trouvais que ça faisait du bien de ne plus le voir et l'entendre chialer devant le hockey. S'il s'était contenté de regarder sans parler, ça aurait quand même été pas si pire, mais il critiquait tout le temps les joueurs, les arbitres, les coaches. Pendant les nouvelles, il se défoulait sur le gouvernement, les syndicats, contre les « maudits paresseux sur le BS qu'on fait vivre avec nos impôts », contre tout. Quand il sortait, au moins, on avait la paix. Ma mère et moi on passait un peu de temps tranquilles même si je voyais qu'elle était inquiète, tendue, et qu'elle avait un nouveau pli au coin de la bouche.

Même si c'était souvent très tard, je savais quand mon père rentrait parce que chaque soir, ça virait en chicane. C'était dur à ignorer. Ma mère l'accusait d'être allé à la brasserie, disait qu'il « sentait la tonne ». Mon père répondait qu'il avait pris une bière, oui, mais juste une. Il lui disait de le laisser tranquille, qu'il avait besoin de laisser sortir de la *steam*, que ça n'allait pas bien à son travail, qu'il y avait des coupures de poste, encore, et qu'il était stressé. Il n'en revenait pas comment il était malchanceux, *etc.* Il disait qu'il aimait mieux aller se détendre à la brasserie pour regarder les matches de la fin de saison de hockey avec ses chums plutôt qu'à la maison où sa femme n'arrêtait pas de lui faire des gros yeux chaque fois qu'il disait quelque chose. Ma mère répondait qu'elle savait très bien qu'il ne pouvait pas prendre « juste une bière ». Elle disait que juste une bière, ça ne serait pas un problème, mais que ce n'était pas possible pour lui, qu'il n'en était pas capable. Il l'accusait d'exagérer, mais je commençais à penser que non. Un soir, dans leur chambre, les choses se sont gâchées :

— Tu penses vraiment que je vois rien? Regarde-toi, t'es soûl! T'étais tellement bien parti, André! Je t'avais averti, j'endurerai plus ça.

— Bon, tu me fais des menaces maintenant? Tu veux partir, me laisser, c'est ça? Tu ferais quoi, au juste, avec ta petite job à temps partiel, hein? La paix, j'veux juste la paix! Si au moins tu pouvais me donner un peu de peau de temps en temps, ça réglerait bien des affaires!

— Tu penses vraiment que j'ai envie de toi quand tu pues la tonne de même et que t'es pas parlable? De toute manière, quand t'es soûl, t'es pas tellement fort dans le lit!

J'ai entendu un bruit sourd, comme un objet lourd qui tombe par terre, puis plus rien. La porte de la maison a claqué. Ma mère pleurait fort et moi, j'étais dans mon lit et je regardais le plafond. Je me sentais raide, j'avais les poings serrés. Si mon père était entré dans ma chambre, je pense que je l'aurais frappé. Ça m'arrivait de plus en plus souvent, d'avoir envie de taper sur quelqu'un, et ça me faisait un peu peur. Je me demandais si j'étais en train de devenir comme mon père. Je ne voulais pas être un épais qui parle avec ses poings. À la place, je me forçais à respirer lentement en comptant. Un truc que j'avais appris à l'école, pendant une conférence. J'avais trouvé ça niaiseux quand le bonhomme avait expliqué ça devant la gang d'ados pas intéressés qu'on était, mais après un bout de temps, je m'étais mis à l'écouter et à trouver que ce n'était pas si con. En fait, ça marchait.

Le lendemain matin, en sortant de la maison pour aller à l'école, j'ai vu que l'auto de mon père était stationnée sur le gazon. Les pneus avaient écrasé plusieurs arbustes et le devant de l'auto était collé sur le petit lampadaire qui était tout croche. J'essayais de comprendre ce qui s'était passé même si c'était pas mal clair. Ma mère, qui avait disparu dans la douche après m'avoir préparé mon déjeuner, a ouvert la porte de la maison pour me souhaiter bonne journée comme elle le faisait chaque matin et elle est restée là, les bras pendants, la bouche à moitié ouverte. J'ai vu des larmes couler sur son visage. Elle s'est tournée vers moi. Sa joue était bleue et enflée. J'ai eu mal au cœur et j'ai voulu aller réveiller mon père en lui tapant dessus. Pourquoi pas ? J'ai essayé de compter dans ma tête, mais je n'avais pas envie de me calmer. J'avais envie de manquer l'école parce que j'aurais donné une volée à mon père. Je n'étais pas de taille, je le savais, mais ça m'aurait fait du bien quand même. Ma mère s'est approchée et m'a retenu par le bras sans dire un mot. Au bout d'un moment, elle m'a dit d'une voix toute faible :

— Je vais m'occuper de ça. Ton père est malade, Fred. C'est pas juste qu'il prend un coup de trop, il est vraiment malade. Et s'il veut pas guérir, c'est son problème, mais moi – nous –, on est pas obligés de vivre avec son problème. T'es d'accord?

Évidemment, j'étais d'accord. Si j'avais pu tuer mon père ce matin-là, je pense que je l'aurais fait. J'ai été obsédé par ça toute la journée à l'école. Je me voyais lui donner des coups de pied avec mes plus grosses bottes, je m'imaginais lui taper dessus jusqu'à ce qu'il saigne. Ça me faisait du bien, de penser à ça, mais en même temps je freakais de connaître la réponse à savoir si je serais *vraiment* capable d'être aussi violent. Je ne voulais pas être comme ça, mais la pensée de le voir souffrir, avoir mal autant que moi, autant que ma mère, me soulageait, me faisait vraiment du bien. La vérité, c'est que je ne savais pas si c'était juste un défoulement ou si je le voulais pour vrai. Je ne suis pas un gars méchant, je ne l'ai jamais été et je ne voulais pas l'être... C'est sûrement pour ça qu'en plus d'être enragé, j'étais vraiment dégoûté de sentir qu'une partie de moi aimait encore mon père, pathétique comme il l'était, que j'essayais, que j'espérais encore de me faire aimer de lui, qu'il m'admire, approuve ce que je faisais, qu'il soit fier de moi. Pourquoi? Je trouvais ça con, car je savais qu'il ne m'aimait pas, mais le p'tit gars d'avant était encore là, en dedans de moi, et lui aurait voulu que ce père-là le prenne dans ses bras, lui montre qu'il était important pour lui. La seconde d'après, je repensais à ma mère et j'avais plus que jamais envie de pleurer, de frapper quelque chose ou quelqu'un, n'importe qui et vraiment fort. C'était mélangeant tout ça et j'essayais de ne pas y penser, mais ça tourbillonnait dans ma tête comme une tornade.

La semaine suivante, une autre merde est arrivée : mon père a perdu sa job. Encore.

Fuck.

*   *   *

Même si mon père savait que les choses brassaient à son travail, perdre son emploi pour une deuxième fois dans la même année l'a jeté à terre. Son moral était au plus bas et son humeur, plus massacrante qu'avant, ce que je n'avais pas cru possible. Ma mère l'a laissé tranquille une semaine complète après qu'il a arrêté de travailler. Elle me disait qu'il fallait être compréhensif, que ce n'était pas facile pour lui, ce qui se passait, et qu'il allait se trouver quelque chose bientôt. Il l'avait déjà fait, non ? Elle essayait de m'expliquer que le confronter là, maintenant, ne ferait qu'empirer les choses. C'était trop pareil à la dernière fois pour que je sois capable de la croire.

La première semaine qu'il a passée à la maison, puis la deuxième, il n'est pas arrivé grand-chose. Mon père disait qu'il avait envoyé son CV partout, qu'il attendait, qu'il était confiant. Après trois semaines, il avait seulement passé une entrevue, pour une job de vendeur à commission qui ne l'attirait pas. De toute manière, il ne se l'est pas fait offrir. Puis, plus rien.

Ma mère, qui travaillait à temps partiel, a été obligée de commencer à travailler tous les jours. Elle n'avait pas le choix. Mes parents avaient accumulé des dettes quand mon père avait perdu son emploi la première fois, et l'assurance chômage tardait à arriver. Moi, je regardais tout ça de loin, sans vraiment comprendre. Selon moi, d'après ce que je voyais, mon père ne cherchait pas vraiment. Donc, il ne trouvait rien. Je ne sais pas si c'était vraiment le cas, mais le résultat était le même.

Les semaines se sont étirées. À cause des problèmes d'argent, ma mère m'a dit qu'il fallait que j'arrête mes cours de batterie «juste pendant un petit bout de temps». Même si je savais que c'était égoïste de ma part, je n'étais pas content et j'en voulais à mon père. Je commençais à sérieusement m'inquiéter. Quand je revenais de l'école, il était de plus en plus souvent évaché sur le sofa, la barbe pas faite, en jogging. C'était assez clair qu'il n'avait pas fait grand-chose de positif de sa journée! J'essayais de l'éviter en me faufilant dans ma chambre, mais il m'apostrophait.

— Regarde-moi pas de même, je sais ce que tu penses. Non, j'ai pas trouvé de nouvelle job aujourd'hui non plus. Tu sauras que c'est pas facile, OK ? Je voudrais bien te voir à ma place, toi. J'ai travaillé pour la même compagnie pendant vingt ans pis ils m'ont congédié de même, sans raison. J'arrive à me trouver autre chose, ils me mettent à la porte, eux autres aussi. Je cherche, malgré ce que vous pensez, toi et ta mère, mais je vais quand même pas aller passer la moppe au McDo !

La tension montait encore plus dans la maison. Quand ma mère arrivait le soir, elle était fatiguée et je voyais bien qu'elle en voulait à mon père de ne pas avoir pensé au souper et de n'avoir rien fait de la journée. Ils s'engueulaient. Ma mère l'accusait de ne pas chercher, lui se plaignait toujours que ce n'était pas évident. Elle essayait de me rassurer, mais elle n'était plus très convaincante.

En même temps que les journées d'automne devenaient de plus en plus courtes, en revenant de l'école, j'ai commencé à trouver mon père endormi. Il était à peine quatre heures de l'après-midi et il était là, les jambes écartées sur son lazy-boy, ronflant comme une machine, des canettes de bière vides autour du fauteuil. L'odeur de bière et de sueur était dégueulasse. Les premières fois, je me dépêchais d'ouvrir un peu les fenêtres, je ramassais les canettes et j'essayais de les cacher avant que ma mère arrive. Je pense bien qu'elle se doutait de ce qui se passait, mais elle faisait comme si de rien n'était. Quelques matins, elle restait plus tard à la maison, alors que normalement elle partait à peu près en même temps que moi, et je savais que c'était pour « parler » à mon père. Mais rien ne changeait pour le mieux, au contraire.

Un soir, en mettant le pied dans la maison, la puanteur m'a sauté à la gorge. En plus de la senteur de mauvaise haleine de bière et de cigarette, il y avait une odeur de toilettes publiques qui levait le cœur. Mon père était tellement soûl qu'il n'avait même pas été capable de tirer la chaîne de toilette de la journée et, pire, il avait une tache encore humide sur le devant de son pantalon. Il regardait la télé, l'air plus mort que vivant. Je n'avais pas envie de rester là ; j'avais l'intention d'aller chez Charles ou n'importe où ailleurs et, avec un peu de chance, de m'y faire inviter à souper. Mais mon père, beaucoup plus réveillé que je pensais, m'a accroché :

— Hey, Fred, j'ai pas envie de me faire engueuler par ta mère encore. Va chercher de quoi faire à souper, fais ça vite.

Je n'avais jamais fait à manger, rien d'autre que du Kraft Dinner, en tout cas. Il voulait vraiment que je fasse à souper ? J'ai figé, un gros point d'interrogation sur le front. Il m'a regardé avec un air dédaigneux et a continué, la voix lente mais étonnamment claire vu son état :

— Oh, ouais, c'est vrai. Le petit garçon à maman est pas capable de faire ça, hein ? C'est pas surprenant. T'es en secondaire deux, t'as presque quatorze ans, il me semble que tu devrais être capable, pourtant ! Le sais-tu, au moins, que t'es la plus grosse déception de ma vie ? J'étais tellement content d'avoir un gars, mais en fait, je pense que j'aurais aimé mieux pas avoir d'enfant. J'te regarde pis j'me demande ce qui m'a pris de vouloir un enfant. Sais-tu combien j'ai honte quand je rencontre les pères des gars qui jouaient au football dans ton équipe ? Eux autres, les pères, ils jouaient même pas comme moi. Ils passaient même pas le quart du temps avec leur gars que j'ai passé avec toi, mais leurs gars sont mille fois meilleurs que toi. Honte, oui, je suis gêné d'être obligé de dire que mon gars joue plus. Gêné de voir dans leur face que de toute façon, c'est mieux de même parce que t'étais poche. Non, moi, mon gars, il *dessine*. Il fait de la *musique*. Tu te penses bon, en plus ! Moi, j'te gage qu'il y en a des milliers qui sont bien meilleurs que toi là-dedans aussi. En plus, mon gars, c'est un ti-gars à sa mère, pas capable de faire à souper. Eh, que tu feras pas grand-chose de bon dans la vie, toi ! T'es aussi bien de t'inscrire au BS tout de suite, ça va être fait. C'est plate, hein ? En tout cas, j'vois bien que t'es déçu de moi, toi aussi, ça fait qu'on est quittes, hein ?

C'était la première fois qu'il était aussi clair, aussi

direct, et je pense que si je ne l'avais pas trouvé aussi dégoûtant, je l'aurais frappé. J'aurais aimé ça trouver quelque chose de méchant à lui dire, moi aussi, mais je n'y arrivais pas. La grosse boule dans ma gorge m'empêchait de réfléchir. Tout ce qu'il venait de me dire, je l'avais senti, mais j'avais toujours réussi à me dire que ce n'était peut-être pas aussi pire. Jusqu'à maintenant, en tout cas. Là, il venait de me confirmer tous les doutes que j'avais eus, toutes les déceptions que j'avais pressenties mais qu'il ne m'avait jamais avouées. Ça faisait mal, mais en même temps, je n'étais pas surpris. Déçu d'avoir eu raison de penser ça, mais pas surpris. Alors, pourquoi est-ce que j'avais l'impression qu'un couteau s'enfonçait dans mon ventre ? Pourquoi est-ce que je sentais que j'allais étouffer, manquer d'air et m'écraser là, devant lui ? C'est la pensée de le voir rire de ma faiblesse qui m'a aidé à rester debout. J'aurais voulu être plus grand, plus fort, mais j'étais encore juste un ti-cul maigrichon et lui, une grosse masse de chair molle et puante. J'avais vraiment mal à l'estomac et je n'arrivais plus à bouger. Je n'avais pas la moindre idée de ce que je devais faire. Je n'étais rien, insignifiant, comme mon père le disait, comme il l'avait toujours pensé.

Finalement, après quelques secondes qui m'ont paru aussi longues que des heures, j'ai mis mes écouteurs et je suis sorti, la musique assez forte pour me percer les tympans.

J'ai marché. Charles n'était pas chez lui, mon autre ami, Tom, non plus. J'ai encore marché. Je pense que j'ai pleuré, ou en tout cas, j'avais un gros motton dans la gorge et je tremblais. Il faisait noir, je savais plus où aller, alors je suis retourné à la maison en espérant que ma mère arrive bientôt. En ouvrant la porte de la maison, j'ai entendu mon père ronfler. J'ai tout de suite vu la bouteille de gin complètement vide par terre à côté de lui. Il y avait quelques canettes de bière aussi, mais la bouteille m'a comme donné une claque au visage. J'ai remis ma veste et je suis reparti. Ouaip, on avait un sérieux problème. C'est là que j'ai su qu'on était très loin du gars qui était « capable de se contrôler » et d'« arrêter quand il voulait ». Normal, mon père ? Euh, non.

J'ai marché jusqu'au magasin où travaillait ma mère. En me voyant, elle a compris que ça n'allait pas. Elle a parlé avec son patron et m'a fait venir dans le petit bureau réservé aux employés. Là, je n'ai pas pu m'empêcher d'aller dans ses bras. J'haïssais le fait d'avoir besoin de ça, mais je voulais me faire bercer comme quand j'étais petit. Je suis resté là sans parler pendant de longues minutes. Après, j'ai essayé de lui expliquer ce qui nous attendait à la maison :

— Maman, c'est dégueu. C'est papa, mais en

même temps, j'aimerais mieux pas le connaître, j'ai aussi honte de lui qu'il a honte de moi…

— Dis pas que ton père a honte de toi, mon Fred, il t'aime, il sait juste pas comment le montrer…

Je me suis dégagé de ma mère et je l'ai regardée dans les yeux. Je pleurais, et de me voir comme ça a fait pleurer ma mère aussi. Je lui ai dit :

— Arrête de me protéger, maman, pis de le protéger, lui aussi. Il m'a dit ce qu'il pensait vraiment de moi. Il m'a avoué qu'il avait honte de moi, qu'il était gêné d'être mon père, qu'il aurait aimé mieux pas avoir d'enfant plutôt que d'avoir un fils comme moi. Si tu savais tout ce qu'il m'a dit ! Je le savais déjà, mais de l'entendre de sa bouche, c'était…

Ma mère était furieuse. Elle s'est levée d'un bond, m'interrompant aussi efficacement que si elle m'avait dit de me taire.

— C'est vrai ce que tu me dis là ? Il t'a vraiment dit ça ?

— Oui, ça et bien d'autres choses…

— Je vais le tuer.

Je n'avais jamais vu ma mère aussi blanche, aussi raide, aussi en colère. Elle tremblait, et des larmes de colère coulaient sur ses joues sans qu'elle se donne la peine de les essuyer.

— Tu pourras pas faire grand-chose, maman, il est complètement coma.

Je lui ai raconté le reste. La bouteille de gin, le pantalon mouillé, la puanteur. Ça sortait tout croche, par jets de mots incompréhensibles. Ce n'était pas grave, ma mère savait ce que je disais. Elle savait depuis longtemps que *ça* se préparait, mais elle avait quand même espéré qu'elle se trompait. Et surtout, elle aurait voulu que je n'aie jamais à le voir comme ça et à entendre ce qu'il m'avait dit. C'était pour ça qu'elle pleurait. Elle m'a repris dans ses bras et m'a serré fort au point de me faire mal, mais ça ne me dérangeait pas. Ce genre de douleur n'était rien comparée à celle que mon père m'avait fait endurer. Je l'appréciais, même. Elle me serrait contre elle comme quand j'étais petit. Je ne sais pas si c'est moi qui la berçais ou elle, mais ce n'était pas important.

L'arrivée du gin dans la maison a été la goutte d'eau – ou d'alcool – qui a fait déborder le vase – le verre dans ce cas-ci. Ma mère a attendu au lendemain matin et avant que je parte pour l'école, comme pour s'assurer que mon père savait bien que j'étais là et que j'étais non seulement au courant, mais que j'étais d'accord, elle a posé un ultimatum à mon père :

— Là, c'est trop. Ou bien tu te reprends en main, ou bien on s'en va, Fred et moi.

— Fais pas de drame, tu t'en vas pas nulle part. C'est pas comme si tu pouvais me laver, j'ai pas de job, j'ai pas d'argent.

— J'veux rien de toi, je peux me débrouiller. Je suis prête, et après ce que tu as dit à ton fils hier, t'as une grosse côte à remonter avant que j'aie envie de te donner une autre chance.

— De quoi tu parles ? J'ai rien dit à Fred. Qu'est-ce qu'il t'a raconté, ton ti-gars ?

Il faisait comme si je n'étais pas là, il m'ignorait complètement. J'ai sauté ma coche.

— De quoi elle parle ? Elle parle de comment je suis la plus grosse déception de ta vie, de combien t'es gêné devant les pères des autres gars de football, de comment t'aurais aimé mieux pas avoir d'enfant pis tout le reste ! T'étais trop soûl pour t'en rappeler, hein ? Bin oui, tu m'as tout dit ça hier soir. Bin, tu sais quoi ? Toi aussi, t'es la plus grosse déception de ma vie. Penses-tu que je suis fier que mon père soit un gros porc alcoolique ?

Il s'est approché de moi et a essayé de m'agripper par le collet, mais ma mère s'est placée devant moi. Je respirais trop vite, j'entendais les battements de mon cœur dans mes oreilles et j'avais trop envie de le frapper. J'étais presque déçu que ma mère s'interpose entre nous, parce que ça aurait été l'occasion parfaite pour lui montrer ce que j'avais envie de lui faire depuis trop longtemps.

Le temps s'est comme arrêté. Ma mère s'est assise et on s'est regardés tous les deux, mon père et moi, sans rien dire d'autre que tout ce que nos yeux nous lançaient en silence. Après, il s'est tourné vers ma mère et il s'en est suivi un paquet de choses étranges, pathétiques, tristes et ridicules. Mon père a essayé de menacer ma mère, lui disant qu'elle n'avait pas le droit de lui dire quoi faire, qu'on était dans sa maison. Comme j'étais là, je pense qu'il sentait que je ferais tout pour protéger ma mère cette fois; après, il a pleuré comme un bébé en disant qu'il l'aimait, qu'il l'avait toujours aimée, qu'il avait honte, qu'il m'aimait, moi aussi. Il n'avait aucune idée comment il en était arrivé là, comment il avait pu me dire des choses aussi ignobles. Puis, il est devenu arrogant, disant à ma mère que c'était sa faute, qu'elle ne s'intéressait pas à lui, ne le comprenait pas, ne l'aimait probablement plus, surtout qu'il ne pouvait même plus la toucher, *etc., etc.* Ça, je n'avais pas envie de l'entendre. Pas mes affaires. C'était déjà un assez gros malaise d'y penser, s'il fallait en plus que j'imagine mon père super soûl au lit avec ma mère, je sentais que j'allais dégueuler.

Finalement, il a supplié ma mère de lui donner une autre chance, une dernière, et elle a accepté.

Mon père a arrêté de boire encore une fois.

CHAPITRE 4

Ah, Alex...

Cette fois, c'était la bonne. Mon père a avoué qu'il avait un problème d'alcool. Ma mère disait qu'à partir du moment où il l'admettait, c'était déjà une bonne victoire. Il allait à des rencontres de groupe et son médecin lui avait donné des trucs, des conseils pour contrôler les symptômes de sevrage qui étaient assez graves au début. Il tremblait, il était nerveux, anxieux, impatient. Il avait mal à la tête, ne mangeait presque pas.

Je voyais qu'il trouvait ça vraiment difficile, et même si je ne comprenais pas ce qu'il vivait, c'était assez évident qu'il vivait un mauvais moment. Mais il voulait passer à travers, ça paraissait. Malgré toute la rancune que j'avais envers lui et la douleur que je ressentais encore en repensant à tout ce qu'il m'avait dit, je commençais à croire que c'était peut-être possible que tous les problèmes aient été causés par la boisson. Ma mère avait peut-être raison, après tout, et je pense que je voulais vraiment la croire. Le p'tit gars, encore un peu naïf, voulait croire à n'importe quoi.

Mon père avait l'air vieux, usé.

Il s'est trouvé un nouvel emploi chez un autre concessionnaire automobile et la tension a baissé dans la maison et entre mes parents. Je me suis rendu compte à quel point ça faisait longtemps qu'on n'avait pas vécu ça. Ils avaient même l'air d'être amoureux. Cool. Un soir, mon père m'a emmené souper au restaurant. On était juste tous les deux, ce qui n'était pas arrivé depuis des années. J'étais nerveux, avec tout ce qui s'était passé, tout ce qui s'était dit. Il a essayé de m'expliquer sa maladie, il s'est excusé, il a même pleuré encore. C'est quelque chose, voir son père pleurer. Ce n'était pas arrivé souvent et c'est venu me chercher. Ça m'a frappé plus fort que toutes les méchancetés qu'il m'avait dites. Je me demandais vraiment si j'étais en train de retrouver mon père, celui que j'aimais avant, et je voulais y croire. Je trouvais ça correct de sa part qu'il me parle, qu'il veuille que je lui pardonne. Il m'a même dit qu'il était fier de moi, de ce que je devenais. À quatorze ans, je changeais, c'est sûr. J'avais grandi pas mal, ma voix n'avait pas fini de se décider entre la haute et la grave et je commençais à me débarrasser de mon corps d'enfant, pas assez vite à mon goût, mais quand même. Mon père disait qu'il voulait reprendre le temps perdu avec moi, les années qu'il avait gâchées. OK. J'étais d'accord, mais un peu sur les *brakes.* Je commencerais par le regarder aller un bout de temps, et après, on verrait. Ma colère était retombée et je me croisais les doigts pour que ça continue.

Je me suis rendu compte que pendant les dernières années, je m'étais adapté à ma façon à avoir un père alcoolique. Je ne m'étais pas vraiment posé de questions sur ce qui était vraiment normal ou pas ; je réagissais, tout simplement. Par exemple, je n'emmenais jamais d'amis à la maison, j'allais plutôt chez eux. Quand je devenais trop jaloux des autres pères que je voyais autour de moi, je me disais qu'au moins j'en avais un. J'avais ma mère pour toutes les choses importantes, et avec elle, j'étais certain de ne pas me faire engueuler ou critiquer. En fait, je me tenais loin de mon père et je n'attendais rien de lui. C'était la meilleure façon de ne pas être déçu.

Ça a été une période relativement calme pendant laquelle j'avais l'impression de vivre dans une famille presque normale. Tranquillement, graduellement, mon père allait de mieux en mieux. Il m'avait expliqué que ça ne serait jamais facile, qu'il serait toujours tenté de prendre un verre, que l'envie serait *toujours* là, mais qu'il était décidé à faire face à ça et je le trouvais courageux. À l'école, ça allait. Je ne pétais pas de scores, mais je n'avais pas de gros problèmes non plus. J'avais ma petite gang d'amis à l'école et je jouais du drum. J'avais été vraiment content de pouvoir recommencer mes cours et tout le monde disait que j'avais un talent naturel.

C'est dans ces années-là que j'ai eu ma première « vraie » blonde, en secondaire trois. J'aurais voulu en avoir une avant et j'aurais peut-être pu faire comme mes chums et sortir avec n'importe quelle fille, au moins pour « pratiquer », mais ce n'était pas ça que je voulais. Ou peut-être que j'étais juste trop gêné. J'entendais tout le temps des filles dire : « Je t'aime » à des gars juste parce qu'elles les trouvaient beaux, et moi, je trouvais ça un peu con. Me semblait que ce n'était pas ça, aimer quelqu'un. Je n'aurais pas pu dire c'était quoi, au juste, mais je n'avais pas envie de sortir avec une fille sur qui je ne tripais pas particulièrement. C'est sûr que c'était tentant des fois. Je n'étais quand même pas si anormal que ça et il m'arrivait trop souvent de bander pour rien, au mauvais moment, sur une fille pour qui je ne ressentais rien. Et j'en faisais, moi aussi, des rêves, disons… humides, comme tous les gars que je connaissais. J'aurais aimé ça, savoir comment c'était avec une vraie fille, plutôt qu'avec ma main. Mais les filles avec qui j'aurais aimé sortir m'aimaient « comme ami », disaient que j'étais gentil, blablabla, mais elles tripaient sur d'autres gars, plus vieux que moi la plupart du temps. Moi, j'étais plutôt le gars qu'elles venaient voir après s'être fait flusher, pour se faire consoler. Dans ma tête, je me disais : « Fille, tu sors avec le pire *player* de l'école juste parce que tu le trouves beau pis que tes amies sont jalouses de toi. Viens pas brailler qu'il t'a joué dans le dos!» Les filles pensent toutes qu'elles peuvent changer un gars. Bin non. Youhou, les filles? Un gars, c't'un gars. Quand y est con, il reste con même avec la fille la plus belle, la plus fine. Quand il est fin, d'habitude il reste fin aussi, mais on dirait des fois que les filles ne sont pas capables de voir ça ou qu'elles s'en foutent, des gars fins, comme celles à qui je m'étais déjà intéressé. En tout cas. Moi, j'ai fini par arrêter d'espérer. Après une couple de fois, un gars s'écœure.

Mais rendu en secondaire trois, je me suis mis à triper sur Alex, une fille un peu plus jeune que moi qui se tenait avec nous parce qu'une de ses amies sortait avec un des miens. Elle était tellement belle! Je n'aimais pas tellement ses amies que je trouvais borderline greluches, mais quand Alex me regardait avec ses beaux yeux, je me sentais tout nerveux. Elle le savait, et j'aurais juré qu'elle faisait exprès des fois. Je l'admirais quand on dînait à la même table le midi. Sa peau avait l'air tellement douce! Elle sentait toujours super bon et son sourire causait des frémissements dans mes jeans.

Je n'osais pas faire le premier pas, ce qui fait que j'ai niaisé pendant des semaines même si elle me regardait elle aussi assez souvent en me faisant ses sourires de fous et venait au local de musique de plus en plus régulièrement. Je ne me sentais pas de taille, surtout au local de musique quand d'autres gars comme Sébastien Beaudry étaient là. Lui, déjà, il se prenait pour une rock star, et même si je ne me doutais pas encore à quel point il pourrirait ma vie et celle de beaucoup d'autres, je l'enviais un peu et, en même temps, je ne lui faisais pas vraiment confiance.

Il jouait de la guitare super bien. Il avait déjà un band et je l'enviais. J'aurais voulu être leur drummer, mais ils en avaient déjà un qui était bon. Je les regardais souvent pratiquer et j'avais hâte d'avoir mon band, moi aussi. Sébastien était le genre de gars sur qui les filles tripent : il avait les cheveux longs, blonds, et j'imagine qu'il était beau, mais moi, je le trouvais surtout fendant. Ça n'empêchait pas les filles de triper sur lui, comme quoi être un bon gars n'était pas un critère qui pognait, j'en avais encore une fois la preuve. Alex aussi ? Je ne le savais pas. J'espérais qu'elle venait au local pour me voir, moi, mais je ne pouvais pas en être certain. Elle était déjà sortie avec d'autres gars, ce qui faisait que je me sentais encore plus inexpérimenté et que je ne pouvais pas empêcher mes mains de devenir moites, mes jambes de trembler un peu et mon cerveau d'avoir peur de dire une niaiserie quand elle me parlait.

Elle, elle avait l'air de me trouver cute, ou peut-être que c'était de me voir aussi gêné qu'elle trouvait cute, mais ce n'était pas important. L'incroyable est arrivé : elle est venue me voir, juste moi.

— Salut, Frédérick ! On va au cinéma en fin de semaine, est-ce que ça te tente de venir avec nous ?

Je capotais. J'ai essayé de ne pas avoir l'air trop fou :

— Oui, c'est sûr ! Qui va être là ?

— Oh, juste Alissia et Sébas, ils sortent ensemble, et mon autre amie, Annie-Jade.

J'étais soulagé de savoir que Sébas sortait avec une autre fille. J'avais le champ libre avec Alex et je trouvais ça parfait.

À partir de ce jour-là, je me suis senti bien, plus sûr de moi que je ne l'avais jamais été. J'ai même été capable de lui parler assez intelligemment à la café le midi. Bon, OK, parler, c'est peut-être exagéré, mettons que je l'écoutais jaser avec les autres. Pas grave. Je la trouvais vraiment belle, mais je sentais que ce n'était pas juste pour ça qu'elle m'attirait. Elle était drôle, ne se prenait pas au sérieux. Elle était différente de beaucoup d'autres filles : elle n'était pas toujours en train de vérifier son maquillage ou de rire pour rien. Elle avait l'air plus naturelle que les autres. On jasait de toutes sortes de choses, et même si le sujet ne m'intéressait pas toujours, je l'aurais écoutée pendant des heures.

Le vendredi après-midi, pendant que je m'en allais avec elle vers les autobus, elle m'a pris la main et, juste avant de sortir de l'école, elle m'a embrassé. Sur la bouche. Presque avec la langue. Je veux dire par là qu'elle a glissé sa langue dans ma bouche et l'a ressortie aussitôt. Elle goûtait bon, sa langue. Puis elle m'a regardé et m'a dit, avec un grand sourire :

— À ce soir, j'ai hâte…

Elle avait hâte ? Moi, j'me pouvais plus ! Je l'ai regardée monter dans son autobus et je suis parti vers le mien sans toucher à terre.

Ma mère a essayé de me poser des questions quand elle est venue me reconduire au cinéma ce soir-là. Surtout quand elle a vu Alex qui m'attendait avec ses copines et des gars de l'école comme Sébastien Beaudry, alors qu'elle pensait voir Charles ou d'autres de mes amis qu'elle connaissait mieux. Je ne lui aurais rien dit. De toute façon, il n'y avait pas grand-chose à dire. J'espérais qu'il y aurait une évolution avec Alex ce soir-là, mais je restais prudent pour ne pas être déçu si ce n'était pas le cas. Ça s'annonçait plutôt bien.

On est allés voir un film d'horreur. Les filles faisaient les filles : elles poussaient de petits cris de temps en temps, sursautaient exagérément aux bons moments et, à moitié dégoûtées, à moitié apeurées, elles lançaient des commentaires du genre : « Dégueu !

T'as vu ça ? C'était ses *intestins* ! » On a ri, on a mangé du popcorn, on en a lancé pas mal et quand Alex faisait comme si elle ne voulait pas voir une scène particulièrement sanglante à l'écran, je la laissais se cacher le visage dans mon cou. Bin oui, je l'aurais empêché, d'abord ! J'en voulais plus, des passages sanglants.

Après un bout de temps, elle est restée collée contre moi ; j'étais bien. Bandé, mais bien. Puis, sa main s'est mise à me caresser le ventre et le torse avant de se faufiler dans mon dos. Elle a avancé son visage vers moi et je l'ai embrassée. Là, sa langue a fait ce que je voulais qu'elle fasse et, dans mon jean, c'est devenu assez inconfortable. J'étais comme surpris, je ne pensais pas que ça se serait passé de même, que ce serait elle qui aurait fait un *move* en premier, mais au fond, j'étais bien content qu'elle n'ait pas attendu que je le fasse, parce que ça aurait pu être pas mal plus long. Et là, j'allais sûrement pas la faire arrêter ! Je croyais à peine ce qui était en train de m'arriver. Elle m'embrassait toujours et je capotais. Ses lèvres étaient douces, elles goûtaient les bonbons. Elle sentait tellement bon, et ses cheveux étaient comme de la soie. Elle a pris ma main et l'a mise sur son sein. J'ai sursauté tellement je ne m'attendais pas à ça. J'avais presque peur, mais en même temps, c'était comme si je ne pensais plus à rien d'autre qu'au mamelon que je sentais entre mes doigts. Je voulais aller en dessous de son chandail, mais je n'avais pas envie qu'elle me repousse. Je ne comprenais pas grand-chose. Tout ce que j'avais toujours entendu, c'était que les filles trouvaient qu'on allait trop vite, qu'il fallait être patient, mais là, c'était elle qui allait pas mal plus vite que je le pensais. En fait, quand sa main s'est glissée entre mes jambes, j'ai eu peur d'exploser. C'était quand même la première fois qu'une autre main que la mienne se rendait là et elle frottait, elle avait l'air contente de la bosse qu'elle sentait. J'étais plus mélangé que jamais et j'étais complètement déchiré entre mon envie qu'Alex continue et l'impression que j'avais que tout ça était précipité. J'aurais voulu qu'elle défasse les boutons de mes jeans, mette sa main directement sur moi, mais je savais que je n'aurais probablement pas pu me retenir et ça aurait été humiliant. Elle continuait de me frotter, et c'était assez incroyable comme sensation, mais j'ai comme paniqué. Je ne pouvais pas la laisser continuer, je me serais retrouvé avec une tache mouillée en avant de mon pantalon. J'ai pris sa main et je l'ai fait arrêter de bouger, je l'ai juste écrasée là et j'ai essayé de reprendre mon souffle. Alex m'a embrassé dans le cou et sur la joue et m'a fait un de ses sourires qui me faisaient fondre. On a plus ou moins regardé le reste du film; j'étais vraiment incapable de me concentrer. Je voulais juste continuer où on avait arrêté, mais en même temps, j'avais peur qu'Alex devine à quel point j'étais mêlé. À côté de nous, Sébastien avait mis sa veste sur ses genoux et je voyais bien que le bras d'Alissia était caché en dessous. J'imaginais trop bien ce qu'elle était en train de faire, et je bandais toujours en pensant qu'Alex aurait pu facilement faire la même chose. J'étais comme essoufflé, et Alex souriait toujours.

Le film a fini, on s'est levés, Sébastien a jeté un tas de serviettes de papier froissé par terre et j'ai regardé subtilement mon pantalon pour être sûr que tout était OK. J'ai pris la main d'Alex et on est sortis. Ma mère n'était pas encore arrivée, alors j'en ai profité pour entraîner Alex sur le côté du cinéma. Là, je l'ai embrassée encore. Elle me caressait les fesses, se serrait contre moi, et je ne voulais plus partir. Mes mains ne pouvaient pas s'empêcher de lui prendre les seins; ils étaient assez gros, avaient l'air doux, j'aurais tellement voulu lever son chandail et les voir, mais ce n'était pas le bon moment. Je me doutais maintenant qu'elle m'aurait laissé faire, mais moi, je voulais lui montrer que j'étais pas pressé et que j'étais capable d'attendre. J'ai quand même souri en réalisant ce qui se passait. Ça avait tout l'air que j'avais une blonde. Et quelle blonde!

D'où j'étais, j'ai vu l'auto de ma mère arriver et j'ai embrassé Alex une dernière fois. Quand je suis monté dans l'auto, ma mère m'a regardé d'un drôle d'air. Elle se mordait les lèvres, probablement pour s'empêcher de me poser des millions de questions. Elle a juste dit :

— T'as pas mal un grand sourire, mon gars... Ça va bien, on dirait ?

— Ouaip, super bien.

J'ai rien dit d'autre. Pas nécessaire.

CHAPITRE 5

En amour, on dirait...

Pour un gars qui ne savait pas trop c'était quoi, être en amour, je l'ai appris assez vite. Je n'arrêtais pas de penser à Alex. Tout le temps. Le soir dans mon lit, c'était le pire. Je l'imaginais complètement nue à côté de moi et je n'avais pas besoin de beaucoup d'imagination pour que mon corps réagisse. J'étais quasiment obsédé. Je la voyais, je bandais. Je ne la voyais pas, je bandais.

C'était compliqué de se voir en dehors de l'école. Je ne voulais pas tellement l'emmener chez moi. Ça continuait de bien se passer à la maison, mon père tenait le coup, mais je n'étais pas à l'aise. Il y avait encore un malaise entre mon père et moi malgré ses promesses et mes efforts pour lui pardonner et tout oublier. Je voyais qu'il allait toujours à ses rencontres, qu'il continuait à aller de mieux en mieux et à faire ce qu'il fallait pour rester sobre. Par contre, je savais qu'il *rushait* des fois. Il avait des moments d'impatience, des réactions que je trouvais bizarres ou démesurées, ce qui fait que je le trouvais imprévisible et que j'ai hésité longtemps avant d'inviter Alex chez nous. Je me suis finalement décidé, mais ça n'avait pas été fameux. Correct, mais tendu. Alex était gênée, ma mère essayait de faire la conversation, mais ça paraissait tellement qu'elle se forçait que mon père lui a dit, en plein milieu du souper :

— Arrête donc, tu vois bien qu'elle a pas envie de parler !

Ça a fait comme un froid. Dans la soirée, on est allés dans ma chambre, mais je n'osais pas me coller contre Alex de peur qu'un de mes parents vienne nous déranger.

Chez elle, ce n'était pas super non plus. J'ai appris plein de choses sur sa famille, entre autres que son père était du même genre que le mien côté alcool. Mais lui, il n'avait pas arrêté de boire. Je me disais que c'était quand même tout un hasard que ma blonde vive à peu près la même chose que j'avais vécue avec mon père ; ça devait vouloir dire quelque chose. Je trouvais que ça nous rapprochait. Sa famille était encore moins normale que la mienne. Sa mère était à peu près invisible. Son père ne buvait pas tous les jours comme mon père l'avait fait, pas de fort non plus, selon Alex, mais une quantité de bières incroyable.

— Il a pas l'air soûl, la plupart du temps, même s'il passe la journée à caler une bière après l'autre. Il doit être tellement habitué à boire que ça lui fait plus d'effet. Mais il est méchant, bête, et ça lui est arrivé de péter les plombs… Ça, j'haïs ça… Une fois, j'ai déjà été obligée d'appeler le 9-1-1. C'était pas si pire, finalement, j'avais paniqué pour rien.

— Pourquoi tu dis ça ?

— Parce que ma mère a pas voulu porter plainte, elle a dit que c'était pas la faute de mon père, qu'il avait pas fait exprès.

— Toi, qu'est-ce que tu penses ?

— Qu'est-ce que tu veux que je pense ? Ma mère est pas menteuse, mais des fois, je la trouve conne. Je sais pas pourquoi elle a tout le temps l'air de lui pardonner, comme si c'était normal qu'il lui tape dessus quand il prend un coup. En tout cas, moi, faudrait pas qu'un gars essaie de me faire ça !

J'ai souri en coin et j'ai dit :

— Non, je pense qu'il mangerait une volée !

Je me doutais qu'elle ne me disait pas tout, mais je le respectais. Je savais que je n'aurais pas nécessairement envie de tout dire, moi non plus. J'en savais assez, en tout cas, pour dire que je n'avais pas tellement envie d'être invité chez elle non plus. La seule fois où j'y étais allé, son père m'a regardé avec un air de bœuf, a haussé les épaules et est parti regarder la télé. On s'est rendus dans la chambre d'Alex, mais son père lui a dit de laisser la porte ouverte. Pas fort. Alors, on a décidé de se voir chez Sébastien aussi souvent que possible. Je le voyais de plus en plus parce que sa blonde, Alissia, était la meilleure amie de la mienne. Ils se tenaient chez Sébas presque tous les soirs, des fois aussi avec l'autre amie d'Alex, Annie-Jade, et son chum, un gars d'une autre école.

Chez Sébastien, on pouvait pas mal faire ce qu'on voulait. On ne voyait jamais ses parents. On entrait dans le sous-sol par la porte du garage et ils ne venaient jamais voir ce qu'on faisait. Je trouvais Sébas chanceux d'avoir la paix comme ça. Il avait un frère plus vieux qui était parfois devant la télé à jouer à COD ou à un autre jeu du genre ou à regarder un film avec sa blonde, mais il nous ignorait, lui aussi. Il y avait toujours du monde qui entrait dans la maison de Sébastien et en sortait, des amis de son frère, surtout. Ils fumaient des joints, buvaient de la bière, mais nous laissaient tranquilles.

Nous, on s'installait de l'autre côté du sous-sol, là où le band de Sébastien pratiquait, et on écoutait de la musique. Des fois, Sébastien jouait de la guitare, et un soir, il m'a demandé si je voulais jammer, avec la batterie de son drummer qui était installée là. Le chum d'Annie-Jade était bassiste, alors il a joué lui aussi et c'était vraiment bon. Ils aimaient la même musique que moi et connaissaient les mêmes chansons. Je tripais. En plus, Alex me regardait avec de grands yeux, comme si elle m'admirait de la même façon que les autres filles regardaient Sébastien.

J'étais fier, ça ne m'était pas arrivé souvent de me faire regarder de même.

La chambre de Sébastien était aussi au sous-sol et souvent, il s'enfermait là avec Alissia pendant qu'Alex et moi, on écoutait de la musique. On en profitait pour s'embrasser et se toucher pas mal partout, mais avec le frère de Sébas à côté, ce n'était pas évident. Un soir, pendant qu'on regardait un film avec Sébastien et Alissia, j'ai dit à Alex :

— Il est chanceux, Sébas, de pouvoir être tranquille avec sa blonde...

Là, elle m'a pris la main et m'a entraîné dans la chambre de Sébas, les laissant seuls, Alissia et lui, à regarder la fin du film. Alex a fermé la porte derrière nous, m'a regardé et a détaché sa blouse. Je ne voyais rien d'autre que ses seins, sa peau que je pouvais enfin embrasser. Je l'ai touchée, léchée, je me suis frotté contre elle, j'étais excité comme je ne l'avais jamais été de ma vie. Je n'aurais pas pensé me rendre aussi loin avec elle aussi vite, mais c'était clair que c'était ce qu'elle voulait, je ne la forçais pas. Je n'allais pas laisser passer l'occasion. Elle m'a entraîné vers le lit défait de Sébas. Je trouvais la chambre assez crottée et à l'envers, mais je m'en foutais. Je me suis couché dans le lit et elle s'est approchée. Elle a défait mon pantalon et je me suis retrouvé exposé devant elle, bandé dur comme du fer. J'avais peur de venir, je faisais des efforts pour me concentrer pour ne pas tout gâcher. Elle s'est déshabillée et j'ai un peu paniqué... Elle s'est couchée sur moi, son ventre frottant ma queue trop dure et c'était fou. Elle a écarté les jambes, voulait que j'entre en elle. Je me suis comme réveillé tout d'un coup. Je n'avais pas de condoms, je n'étais pas prêt à faire ça, ça allait trop vite même si j'en avais vraiment, mais VRAIMENT envie. Quelque chose clochait. Je ne pouvais quand même pas coucher avec elle de même, sans protection, je le savais bien. Pourtant, c'était comme si mon corps s'en foutait. Elle s'est installée sur moi, a essayé de me glisser en elle, mais ça a été trop pour moi. Je ne pensais plus à rien d'autre, je n'étais plus là. Elle se frottait sur ma queue, j'ai presque réussi à entrer dans son corps, mais juste avant d'y arriver, je suis venu.

J'avais un peu honte, j'étais pas mal mélangé, mais je ne savais pas quelle attitude je devais avoir. Elle m'a regardé et m'a dit:

— Excuse-moi, je pense que je voulais aller un peu vite... c'est parce que je pense que... je tripe pas mal sur toi et je voulais que tu le saches.

Je décidai d'être honnête et lui ai dit:

— Excuse-toi pas, c'est pas grave, au contraire... je pensais juste pas que ça se passerait comme ça. J'ai jamais... t'sais... Toi?

Elle avait l'air surprise et gênée à la fois.

— Oui, mais c'était pas prévu. J'aurais aimé ça que ma première fois soit avec toi, mais c'est fait et je peux rien changer. On va se reprendre, c'est tout...

Je l'ai prise dans mes bras en attendant que mon corps revienne à la normale. Mais ce n'était pas dans ses plans. Avec Alex dans mes bras, toute nue, comme ça, j'ai recommencé à bander presque tout de suite. Elle l'a senti et m'a caressé, tout doucement d'abord puis de plus en plus vite. J'ai fermé les yeux et j'ai savouré ses caresses quelques instants, mais je voulais la voir. Elle était tellement belle... Elle s'est relevée et m'a pris dans sa bouche. Je n'avais jamais rien ressenti de pareil. Sa bouche était chaude, brûlante, et je me sentais devenir de plus en plus dur. En deux minutes, j'étais au bord de l'orgasme. J'ai essayé de l'avertir, mais elle a continué et je suis venu encore une fois. Dans sa bouche.

Je serais resté là pour le reste de la nuit. Je l'aurais laissée recommencer, j'aurais caressé son corps à elle pour la faire triper aussi, mais il fallait que je parte. J'avais l'impression de sentir le sexe, et c'était sûrement le cas. En rentrant chez moi, je me suis dépêché d'aller prendre une douche et de me coucher. J'étais sûr que ce qui s'était passé paraissait dans ma face. Et dans ma face, justement, il y avait un grand sourire quand je me suis endormi. J'aimais ça, finalement, avoir une blonde...

* * *

Dès le lendemain, je suis allé m'acheter ce qu'il me fallait à la pharmacie. Je n'ai jamais été aussi gêné de ma vie, mais la pensée de ce que j'allais faire avec ça m'a donné du courage en masse.

Ça s'est passé plus tard cette semaine-là, dans la chambre de Sébas encore. À ma grande surprise, j'ai été capable de me retenir assez longtemps pour sentir quelque chose d'incroyable. Je m'étais attendu à ce que ce soit bon, mais pas à ce point-là. Alex avait l'air pas mal plus habituée que moi : elle me montrait ce qu'elle aimait et j'avais du mal à croire qu'elle l'avait vraiment fait juste une fois avant. Quand je pensais à ça, je ressentais un malaise parce que je trouvais qu'elle en savait un peu trop. Je me disais que je n'avais pas à me plaindre, au fond, parce que c'était moi qui en profitais ou peut-être que j'avais mal compris quand elle m'avait dit qu'elle l'avait déjà fait avant... Maintenant, elle était avec moi et j'avais l'intention qu'elle le soit pour longtemps. OK. C'était juste trop bon, trop hot.

Après cette première fois-là, je n'ai jamais pu en avoir assez. Chez Sébastien, on avait la paix et on passait nos soirées dans sa chambre. Lui, ça n'avait pas l'air de le déranger de rester avec sa blonde dans l'autre pièce ; moi, j'aimais mieux qu'on soit plus tranquilles. J'étais fou d'Alex. Pas une minute ne passait sans que je pense à elle. À l'école, j'arrivais à faire ce qu'il fallait dans mes cours, mais le reste du temps, je le passais avec elle et au local de musique.

Les vacances de Noël sont arrivées. Des vacances assez ordinaires, tranquilles, un peu plates. Tout ce que je voulais c'était de retrouver Alex, mais on ne s'est presque pas vus parce qu'elle était partie au chalet de son amie Annie-Jade. Enfin, l'école a recommencé. Je n'avais jamais été aussi content que des vacances soient finies, parce que ça voulait dire que les soirées passées chez Sébas avec ma blonde pouvaient recommencer, et c'était tout ce que je voulais. Je travaillais depuis un bon bout de temps à livrer des journaux, mais j'avais décidé qu'il me fallait une job plus payante. Le peu que je gagnais, je le dépensais pour payer mon cell, mes sorties avec Alex et pour lui faire des cadeaux. Je la gâtais presque tout le temps, je trouvais qu'elle le méritait et je tripais de voir combien elle était contente. Sauf que ça coûtait quand même cher, et mes parents trouvaient que j'étais assez vieux pour payer ce genre de dépenses-là. Mon père, en tout cas. Ma mère, pas sûr. Des fois, elle me donnait un peu d'argent, mais elle le faisait en cachette, disant que mon père ne serait pas d'accord, que c'était entre nous.

J'avais l'intention de m'acheter un drum et le plus

tôt serait le mieux, mais ce n'est pas évident, à quinze ans à peine, de trouver une job assez payante. Ma mère ne pouvait pas vraiment m'aider. Elle aurait voulu travailler plus d'heures, mais son magasin venait d'être racheté et le nouveau patron aimait mieux attendre de voir comment ça se passait avant. J'étais frustré. J'avais entendu mes parents parler du travail de ma mère, justement, et je savais que ça faisait l'affaire de mon père. Il disait qu'ils n'avaient pas besoin de plus d'argent, qu'il aimait bien mieux qu'elle travaille moins d'heures, mais qu'il y ait un bon souper sur la table quand il revenait le soir. Ça me confirmait ce que je pensais : le fait qu'il ne me paie jamais rien n'avait rien à voir avec le manque d'argent. C'était juste qu'il était trop cheap ou pas d'accord avec ce que je voulais avoir, comme mon téléphone ou mes sorties. Quelque chose me disait que si j'avais voulu de l'équipement de football ou de hockey, il me l'aurait payé avec plaisir. Je trouvais ça poche.

En tout cas. Pour me frustrer encore plus, ma mère m'a dit qu'elle n'était pas certaine que ce soit une bonne idée d'avoir un drum dans la maison. Elle avait peur que ça tape sur les nerfs de mon père et comme ça allait bien avec lui depuis un bon bout de temps, elle ne voulait rien faire pour risquer de gâcher ça. J'avais beau lui dire que je pouvais mettre des *pads* pour faire moins de bruit, elle ne voulait juste pas se chicaner avec mon père. Mon père encore une fois.

J'ai fini par trouver un emploi de plongeur dans un resto la fin de semaine. Une job de merde, mais au moins j'avais une paye plus intéressante qu'avec seulement le journal.

Au printemps, à peu près en même temps qu'Alex et moi fêtions nos premiers six mois ensemble, le batteur de Sébastien a été obligé de lâcher le band. J'ai accepté tout de suite quand Sébas m'a demandé de le remplacer. Ça réglait tous mes problèmes. J'achèterais mon drum et je pourrais le laisser chez Sébas. Pas idéal, mais pas mal mieux que rien. J'avais mon premier vrai band, enfin. Plus je connaissais Sébastien, plus je le trouvais correct et je me demandais pourquoi je m'étais méfié autant de lui. Il se pensait pas mal hot, oui, mais en fait, il l'était pour vrai, selon moi, alors ça me dérangeait moins. De toute manière, ce n'était pas important. Ce qui comptait, c'était que je trouvais que ce gars-là avait ce qu'il fallait pour faire quelque chose de bon en musique et que j'allais être dans la bonne gang pour y arriver, moi aussi.

Je me souviens d'avoir pensé, à cette période-là, que ma vie allait plutôt bien. Chez nous, c'était plus calme que ça l'avait été depuis longtemps, sans chicane et sans boisson. Mon père avait l'air guéri et recommençait même à sourire et à être plus détendu. J'avais une blonde depuis la moitié de un an et c'était bien parti pour continuer. Et là, en plus, le band.

Ouais, pas mal cool.

CHAPITRE 6

Ah non, Alex...

Quand ça va bien, c'est facile de penser que ça va toujours continuer de même. C'est l'fun, aussi. On n'aime pas ça, penser aux affaires plates qui peuvent arriver. Des fois, les affaires plates arrivent lentement, sans trop paraître, ce qui fait qu'on ne les voit pas vraiment venir. Ou qu'on décide de ne pas les voir. En tout cas.

Après nos premiers six mois ensemble, ma blonde a commencé à changer. Maintenant, je sais qu'elle a toujours eu ce petit côté qu'elle m'avait bien caché, mais dans le temps, je ne comprenais pas pourquoi elle changeait comme ça. J'ai remarqué, en premier, qu'elle s'habillait autrement. Avant, elle aimait ça qu'on aille magasiner ensemble. Moi, je ne tripais pas tant que ça, car je trouvais ça trop long et compliqué pour rien, mais ça lui faisait plaisir que je lui dise ce que j'aimais. Je ne comprenais pas qu'elle soit obligée d'essayer soixante-douze morceaux de linge avant de décider ce qui ne la faisait pas avoir l'air trop grosse, trop petite, trop straight ou trop n'importe quoi, mais ce n'était pas grave, j'y allais et ça me faisait presque plaisir.

Depuis un bout de temps, elle a arrêté de me demander mon opinion. Elle avait toujours été cute et assez sexy, sauf que là, tout d'un coup, je trouvais qu'elle en mettait pas mal. Trop. Quand elle était toute seule avec moi, ça ne me dérangeait pas, mais quand elle arrivait à l'école en jupe vraiment courte, ça m'achalait. Et quand on sortait et qu'avec ses amies Alissia et Annie-Jade, elle laissait sortir son string de ses jeans et mettait des camisoles qui laissaient voir la dentelle de sa brassière, ça me dérangeait carrément. Je n'arrivais juste pas à comprendre ce qui pouvait avoir déclenché ça, mais je commençais à me dire que ses amies y étaient sûrement pour quelque chose parce qu'elles aussi s'étaient mises à jouer aux pitounes en même temps que ma blonde. La première fois que je lui en avais parlé, un soir qu'on était au cinéma, elle m'avait dit :

— Bin quoi, t'aimes pas ça que ta blonde soit sexy ?

— Non, c'est pas ça, c'est juste que ça m'énerve que d'autres gars te regardent...

— Hon, t'es jaloux, mon amour ? C'est cute, mais t'as pas à t'en faire, tout le monde le voit bien que je suis avec toi !

Sur ce, elle m'avait embrassé et était partie chercher des liqueurs avec ses amies. Je les regardais de loin et je trouvais qu'elles avaient l'air cheap. Et je voyais bien les autres gars qui les regardaient, toutes les trois. Malgré ce qu'en disait ma blonde, ce n'était pas si évident qu'elle était avec moi, en tout cas, pas quand elle restait trop longtemps au comptoir à jaser avec le gars qui les servait et qui bavait devant leurs décolletés.

Je ne savais pas trop quoi faire. À l'école, ce n'était pas mieux. Elle et ses deux amies attiraient un peu trop l'attention à mon goût. J'entendais des affaires sur ma blonde et ses amies, qui commençaient à se faire appeler « les jupettes », et ça ne faisait pas mon affaire. Des rumeurs circulaient qu'Annie-Jade sortait avec deux gars en même temps. Alissia, elle, ne se gênait pas pour flirter avec plein de gars devant Sébastien qui avait l'air de trouver ça super correct, cool, même. Il m'avait dit :

— Moi, j'aime bin mieux sortir avec une fille qui fait bander des gars qu'avec une fille ordinaire qui pogne pas !

Je l'avais trouvé con, mais je n'avais rien répondu. Je me disais que c'était peut-être juste un trip qui finirait par passer.

Puis, Alex a commencé à fumer des joints avec sa cousine Jessica, et des amis du frère de Sébas. Elle voulait que j'en fume avec elle, mais je n'en avais pas envie. Mettons que je n'avais pas besoin de ça pour triper. Je n'avais pas de problème à ce qu'elle en fume si elle le voulait, ça la regardait. Mais quand je la voyais partir avec les gars – ils avaient quoi, dix-huit, dix-neuf ans ? – ça m'énervait. Surtout quand elle portait juste une petite robe super courte et des sandales super hautes et que la blonde du frère de Sébas lui faisait des petits sourires complices. Je ne suis quand même pas cave : c'était évident que les gars la cruisaient. Elle disait que je boudais et elle avait probablement raison. Mais un soir, je suis sorti les rejoindre pendant qu'ils se passaient le joint et j'ai vu un des chums du frère de Sébas qui se collait sur elle, il avait même la main sur ses fesses. Là, c'était un peu trop. Je ne voulais pas faire de scène, alors je suis rentré dans la maison et j'ai attendu Alex. En me voyant, elle a eu l'air mal à l'aise. Moi, j'étais pas tellement de bonne humeur. Elle a pris un petit air arrogant que je ne lui connaissais pas et m'a dit :

— Ça va ? On dirait que non…

— D'après toi ? Penses-tu que j'aime ça te voir te faire pogner les fesses par un autre gars ?

— Oh, voyons, capote pas, c'était juste une joke.

— Bin oui, une joke. Je la trouve pas tellement drôle.

— Bon, Fred, j'trouvais ça cute que tu sois jaloux, mais là, *chill* un peu. Je t'appartiens pas, j'suis une grande fille. J'te dis que tu t'en fais pour rien.

Je n'ai pas insisté. De toute manière, elle était gelée

et j'haïssais ça essayer de lui parler d'affaires importantes quand elle était comme ça. Je me suis dit que
c'était probablement pour ça qu'elle s'était laissé
faire, qu'elle ne s'en était pas vraiment rendu compte.
Je suis compréhensif, quand même. Et puis, je l'aimais tellement que je ne voulais pas qu'on se chicane.
Je me suis fait penser à ma mère quand elle disait
qu'elle détestait se chicaner avec mon père, et ça m'a
énervé.

Deux jours plus tard, par contre, je n'ai pas pu me
retenir de l'espionner quand elle est sortie fumer
avec les mêmes gars. Et là, devant moi, le gars a mis
la main en dessous de sa jupe et je l'ai vue écarter les
jambes et se frotter contre lui. Faut pas charrier,
quand même. J'en avais assez vu. J'allais pas me ridiculiser en faisant une crise, alors je suis parti.

Je ne savais plus quoi penser. Je l'aimais, cette
fille-là, et j'étais prêt à faire beaucoup de compromis
pour ne pas la perdre, mais quand même. J'avais mal
en dedans. Je n'aurais pas été capable de dire où exactement, mais j'avais mal pareil. Et si quelqu'un était
venu m'écœurer, ça m'aurait fait plaisir de lui mettre
mon poing sur la gueule. Me semble que ça aurait fait
du bien. Je ne me reconnaissais plus. Je ne m'étais
jamais senti de même et je me trouvais con. J'essayais
de penser à autre chose, mais je n'arrêtais pas de voir
la main du gars en dessous de la jupe d'Alex, et ça me

donnait mal au cœur. J'étais fâché après lui, mais après elle aussi. Pourquoi elle me faisait ça ? Sûrement qu'elle ne m'aimait pas autant que moi je l'aimais, sinon elle ne m'aurait pas traité de même. Faudrait que je lui parle, que j'essaie de comprendre. Je me demandais si j'avais fait quelque chose de pas correct, quelque chose qu'elle avait pas aimé, mais il me semblait vraiment que je faisais de mon mieux pour qu'elle soit bien avec moi. Pourquoi est-ce qu'elle ne me l'aurait pas dit si quelque chose n'avait pas marché ?

Mon cell a sonné. C'était elle. Je n'ai pas voulu répondre. En fait, j'avais le goût, mais j'avais peur de ce que je lui dirais. Elle m'a texté :

« Faut parlé, cer pas cque tu pense, laisse-moi au moins xpliqué ! »

Pas ce que je pense ? Bin voyons ! OK, j'avais hâte d'entendre ses explications. Je lui ai téléphoné et elle a répondu à la première sonnerie :

— T'es parti ! Pourquoi ?

— Euh... tu me niaises ? Penses-tu que j'avais envie de te voir coucher avec l'autre gars ?

— Exagère pas, Fred, j'allais pas coucher avec. C'était juste une gageure. Il me croyait pas que j'avais pas de culotte. C'était l'idée de Jess.

J'en revenais pas. Toute une explication ! Je ne savais pas quoi répondre. Elle a continué :

— C'était juste pour qu'il arrête de me gosser. Il a même dit que t'étais chanceux de m'avoir comme blonde, tu vois bien...

Chanceux. Wow. J'ai pas pu m'empêcher :

— OK, faque pour être chanceux, faut que je laisse ma blonde se faire pogner par n'importe qui, c'est ça ? Pas sûr que j'ai l'goût d'être si chanceux, finalement.

— C'est pas ça, Fred. C'est pas comme si ça arrivait tout le temps...

— Pis je suis supposé te croire ? Tu fais ça quand je suis là. C'est quoi quand je suis *pas* là ?

— Ah, franchement, arrête. J'ai rien fait de mal. Faudrait que t'apprennes à *chiller* un peu pis avoir du fun.

J'ai respiré lentement par le nez avant de répondre :

— Je suis pas sûr que toi pis moi on a la même idée de fun, Alex. Faut que je raccroche, j'arrive à maison.

— OK, appelle-moi tantôt.

— Si je peux. Bye.

Je suis vraiment passé très près de lancer mon cell au bout de mes bras.

En arrivant à la maison, je suis allé tout de suite dans ma chambre. Fallait que je fasse quelque chose, que je bouge, j'étais nerveux, fâché. J'aurais joué de la batterie, mais mon drum était chez Sébas. J'ai donc décidé de me patenter des *pads* de pratique pour fesser sans faire de bruit et je suis allé voir ce qu'on avait au sous-sol qui pourrait servir. Si je collais du tissu ou de la mousse sur un morceau de bois, ça pourrait marcher et je pourrais placer ça dans le bon angle quelque part dans ma chambre pour pratiquer. Et ça me changerait les idées, ce qui était sûrement le plus important.

J'ai trouvé des morceaux de mousse dans les affaires de couture de ma mère et j'étais en train de fouiller dans le coin des outils de mon père quand j'ai vu la bouteille. Une bouteille de gin, une grosse, cachée derrière ses outils, au fond de l'armoire. Elle était presque pleine. Sur le coup, je me suis dit qu'elle devait être là depuis longtemps. Probablement que mon père l'avait oubliée là depuis qu'il avait arrêté de boire. Mais après, je me suis mis à douter. Je ne voulais pas faire de drame à la maison. Si j'en parlais, je risquais de causer une explosion. Alors, à la place, j'ai décidé de voir au cours des prochains jours si le niveau de la bouteille baisserait. Je me trouvais brillant, je me sentais comme Sherlock Holmes. Pff.

* * *

Je suis allé travailler le lendemain après-midi sans reparler à Alex. Je n'avais pas tellement dormi de la nuit : je n'arrêtais pas de voir la maudite main du gars entre les cuisses de ma blonde et ça m'enrageait. La journée a été longue, pénible, fatigante. Quand je suis arrivé à la maison, il était passé neuf heures et j'étais brûlé. Le bon côté, c'est que j'étais trop fatigué pour penser. Alex avait essayé de me téléphoner plusieurs fois pendant la journée, mais je n'avais pas le droit de prendre d'appels au travail, et elle le savait aussi. Pendant mes pauses, je n'avais juste pas eu le goût de lui parler.

Le dimanche, il fallait que j'aille au centre d'achats m'acheter un peu de linge. Il n'était pas question que ça prenne des heures. Ma mère m'avait donné de l'argent, en cachette évidemment. Je savais ce que je voulais, pas de niaisage. En sortant du magasin, j'ai vu Alissia, Annie-Jade et Jessica dans une boutique de souliers. Je me suis dit qu'Alex ne devait pas être bien loin. J'ai figé. Je ne savais pas si je devais aller la voir ou faire comme si je ne les avais pas vues, mais il était trop tard, elles m'avaient remarqué et je me suis avancé vers elles. Elles se sont retournées, pro- bablement pour avertir ma supposée blonde que j'étais là, mais trop tard. Alex jasait avec le vendeur. Elle portait des sandales à talons hauts et une jupe tellement courte qu'on voyait sa culotte. Au moins, elle en portait une cette fois. Elle parlait avec le gars, un grand épais d'à peu près vingt ans qui se pensait cool avec sa barbe et ses cheveux longs. Elle riait, trop fort. Ça ne pouvait pas être si drôle. Elle marchait en s'accrochant au bras du gars, en se frottant contre lui, et l'autre en profitait. Je l'ai vue lui donner un morceau de papier et l'ai entendue lui dire :

— Essaye-toi, on sait jamais ! J'ai un chum, mais…

C'est là qu'elle m'a vu. Je me suis senti comme un bloc de glace, d'un seul coup. Froid. Enragé, mais calme. Bizarre. J'ai juste regardé Alex, puis le gars qui ne comprenait rien et je lui ai dit :

— Non, c'est beau, elle avait un chum, pus maintenant. Tu peux l'appeler ce soir si tu veux.

Et je suis parti. J'étais enragé encore une fois. J'espérais presque que quelqu'un vienne me niaiser pour que j'aie une bonne excuse de me défouler avec un coup de poing ou deux, mais personne n'est venu. Alex a essayé de me rattraper, mais j'étais déjà loin et avec ses sandales de pute, elle ne pouvait pas marcher très vite. Tant mieux parce que je sais que j'aurais été plutôt méchant.

Je suis retourné à la maison et je suis allé me coucher. Je ne travaillais pas et pour une fois, j'avais bien le droit de m'écraser un peu. J'ai éteint la lumière de ma chambre pour essayer de plonger dans un « rien » rassurant, mais j'étais nerveux. Je venais de casser avec ma blonde et je le réalisais à peine. C'est moi qui avais fait le *move*, mais c'est elle qui l'avait provoqué, donc c'était aussi pire que si c'était elle qui m'avait laissé. Je m'ennuyais déjà de son corps, de sa peau, et je me demandais comment j'allais faire pour me passer d'elle. Mais en même temps, je savais que je n'avais pas le choix, qu'elle aurait continué à me torturer pendant longtemps si je l'avais laissée faire. Et je n'arrêtais pas de me demander ce qui serait arrivé si je ne l'avais pas surprise au centre d'achats. Elle aurait fait quoi avec le vendeur de souliers ? Je lui revoyais la face, à lui, et j'aurais aimé lui aplatir le nez, le voir saigner. J'en voulais à Alex aussi, mais curieusement, elle, je n'avais pas envie de la frapper, plutôt de lui faire mal autrement sans savoir comment. Lui briser le cœur, peut-être, mais je commençais à me demander si elle en avait un.

Je suis resté là au moins deux heures à ruminer tout ça, les poings serrés. Ma mère a frappé à ma porte et je lui ai dit que je me reposais, que je filais pas. Elle m'a laissé tranquille. Tant mieux.

Je ne sais pas trop comment, mais j'ai fini par m'endormir. Quand je me suis réveillé, il faisait noir. J'avais dormi trop longtemps. Je me sentais pire qu'avant. Comme si un camion m'était passé dessus. J'avais envie de pleurer comme quand j'étais un bébé. Je voulais être toffe, mais je ne l'étais pas. J'étais enragé.

J'ai décidé de continuer à fabriquer mes *pads* de pratique et de jouer un peu. Rien ne me détendait autant que pratiquer mes roulements ou autre chose, tant que mes baguettes revolaient.

Frédérick

En descendant au sous-sol, je me suis souvenu de la bouteille. Je voulais regarder si le niveau de gin avait baissé ou non, mais en même temps, je ne voulais pas savoir. J'avais peur de ce que je verrais, de ce que ça voudrait dire. Je n'avais pas le choix. J'ai ouvert la porte de l'armoire et j'ai tendu la main. La bouteille était presque vide. Et à côté, il y en avait une autre. Neuve.

Fuck.

CHAPITRE 7

Comme un coup de poing

J'ai passé la semaine suivante dans un état pas très brillant. Je ne savais pas quoi faire au sujet de la bouteille et j'essayais de me décider. Soit j'en parlais à ma mère et je déclenchais l'apocalypse, soit je me taisais et je devenais le complice de mon père. En fait, j'essayais de me convaincre que c'était peut-être juste une petite rechute, que mon père reprendrait le contrôle de tout ça ; si je le « dénonçais », la merde que ça causerait détruirait les chances que ça se produise. Mais de l'autre côté, si je ne le disais pas à ma mère, j'avais l'impression de la trahir. Avec tout ce qu'elle avait enduré, ce n'était pas *fair*. Je me suis donné la semaine pour y penser, mais finalement, j'ai choké. J'ai choisi de faire comme si je n'avais rien vu. Faut dire que je n'étais pas vraiment dans mon état normal, à cause de ce qui s'était passé avec Alex. J'étais plus magané que je le laissais paraître. À l'école et devant mes parents, je faisais comme si ça ne me dérangeait pas, mais au fond, j'étais vraiment, mais vraiment *down*. Je n'avais plus envie de faire grand-chose, à part jouer du drum. Sauf que le band n'avançait pas aussi vite que prévu.

Le chanteur qui était avec Sébas depuis un bout s'était trouvé un autre band. Sébas avait envie d'essayer autre chose, il pensait à engager une fille, mais il n'avait pas vraiment le temps de s'en occuper. Pas le temps, bin oui. C'était plutôt qu'il était toujours dans un party quelconque, avec des amis de son frère. Lui aussi avait commencé à fumer pas mal et les dernières fois que j'étais allé chez lui, j'avais remarqué que les caisses de bière se vidaient pas mal vite. Ce n'était pas de mes affaires, mais j'étais impatient que le band se forme. J'étais mal partout; mal à l'école parce que chaque fois que je voyais Alex, je me sentais tout croche, surtout qu'elle ne se gênait pas pour me montrer qu'elle se foutait de moi; mal à la maison parce que j'avais un secret vraiment inconfortable; mal chez Sébas parce qu'on ne pratiquait pas tellement – je faisais juste les écouter parler, lui et le bassiste, de ce qu'ils voulaient faire, mais qu'ils ne faisaient pas. Je me suis mis à m'ennuyer de mon ami Charles. Ça faisait trop longtemps que je l'avais vu, mais c'était ma faute. Je m'étais éloigné de lui sans m'en rendre compte, d'abord à cause d'Alex qu'il n'aimait pas tellement, puis à cause du band. J'avais régulièrement envie de lui téléphoner ou d'aller lui parler à l'école, mais il s'était fait d'autres amis avec qui je ne me sentais pas tellement d'affinités.

Tous mes temps libres, je les passais au local de

musique de l'école quand je le pouvais ou à pratiquer à la maison sur mes *pads* qui, finalement, fonctionnaient bien. Il ne me manquait pas grand-chose, vraiment. Juste un *bass drum*, un *snare*, une couple de *toms*, des cymbales, un *floor*. Presque rien, juste un kit complet ! Je ne réussissais pas à ramasser mon argent assez vite et ça m'enrageait, ça aussi. Je voyais bien que ça m'arrivait de plus en plus souvent, d'être enragé, mais je ne trouvais pas de façon utile et efficace de me défouler.

*   *   *

Finalement, j'ai réussi à passer à travers le reste de l'année scolaire je ne sais pas trop comment. Des fois, le temps passe tellement vite que ça fait peur…

À la maison, je ne voyais rien d'anormal malgré ce que je savais et j'avais décidé que je ne fouillerais plus dans les armoires de mon père. Si je ne voulais rien trouver, j'avais juste à ne pas chercher, ce n'était pas compliqué. Mais je ne peux pas dire que c'était reposant, par exemple. Mon père n'avait jamais l'air soûl, par contre, il ne sortait pas non plus. Tout devait être sous contrôle, mais je ne pouvais pas m'empêcher de me demander si c'était vraiment le cas. Quand mon père avait supposément arrêté de boire, lui et ma mère étaient comme redevenus un couple et je pouvais comprendre que ma mère voulait garder ça. C'était clair qu'ils avaient déjà été amoureux et qu'ils s'aimaient encore. Ils n'avaient pas vraiment recommencé à sortir avec des amis – j'imagine qu'ils en avaient perdu quelques-uns dans le temps où mon père buvait –, mais ils sortaient ensemble et avaient l'air d'aimer ça. Sauf que mine de rien, je trouvais que mon père avait l'air distrait, moins colleux qu'il l'avait été avec ma mère, et plus distant avec moi aussi. Et je n'aimais pas ça. Non, pas du tout. Je savais que mon père avait recommencé à boire et j'avais peur que tout recommence comme avant. Encore une fois, j'ai décidé de ne pas chercher, pour ne pas voir ce qui s'en venait.

Je travaillais le plus d'heures possible au resto. Je le voulais, mon drum, ça avait assez traîné et je n'avais rien de mieux à faire, de toute façon. Mon père, lui, est tombé en vacances le 1er juillet. Il avait l'air bien, mieux, et si je n'avais pas vu la maudite bouteille, j'aurais pensé que tout était parfait. Il avait recommencé à jouer au golf, il était content quand il partait avec un de ses amis et revenait de bonne humeur. Il nous faisait du barbecue presque tous les soirs, et ma mère avait l'air contente, elle aussi. En fait, elle rayonnait.

En revenant de travailler, un soir, j'allais ranger mon vélo dans le cabanon quand j'ai surpris mon père. Il faisait beau, ma mère était dans la piscine et lui, il était en train de prendre une longue gorgée de gin en cachette quand j'ai ouvert la porte. En me voyant, il a figé. Puis il m'a dit :

— T'es pas obligé de le dire à ta mère, t'sais. C'est pas comme avant, c'est juste de temps en temps pour me calmer. Ta mère comprendrait pas, elle pense que je peux pas juste prendre un verre de même. Fais comme tu veux, Fred, mais penses-y à deux fois avant de mettre la marde encore.

Encore. Comme si c'était toujours ma faute. Je n'étais pas fâché ni triste, juste dégoûté. Pas capable de mettre ses culottes, fallait qu'il se cache. Wow, tout un père !

J'ai rien dit, mais ça n'aurait pas changé grand-chose. Les petites gorgées de temps en temps sont devenues pas mal plus fréquentes. J'aurais juré qu'il essayait de se faire prendre tellement il n'était pas subtil. En tout cas, s'il pensait que ma mère ne voyait rien, il la connaissait vraiment mal.

Au bout de ses deux semaines de vacances, il n'est pas retourné travailler. Il a lâché la bombe pendant qu'on était en train de souper un soir : il s'était fait mettre à la porte. Il le savait avant ses supposées vacances, mais il pensait qu'il aurait eu le temps, pendant son congé, de trouver autre chose.

Ma mère, évidemment, n'a pas apprécié. Autant le fait qu'il ne lui en ait pas parlé que le reste. Au lieu de l'engueuler, elle s'est mise à pleurer. Je voulais me lever de table et les laisser régler ça entre eux, mais je n'ai pas osé bouger et c'est comme si mes parents ne se rendaient même pas compte que j'étais là. Mon père est devenu froid, bête, l'air méchant. J'imagine qu'il avait multiplié les visites au cabanon plus tôt cette journée-là parce qu'il était visiblement éméché.

— Bon, tu brailles. C'est pas un drame, j'vas m'en trouver, une autre job. C'est pas la première fois et j'ai toujours fait ce qu'il fallait. T'as jamais manqué de rien, le grand non plus.

— Tu penses que c'est pour ça que je pleure? Tu penses que je sais pas que t'as recommencé à boire? Penses-tu vraiment que je savais pas ce que tu faisais dans le cabanon vingt-six fois par jour?

Elle était en train de s'énerver.

— C'est Frédérick qui te l'a dit, hein? Maudit bavasseux.

Fuck. Il venait de lui dire que je savais, le con. Mais ma mère n'a pas eu l'air surprise.

— Non, c'est pas lui qui me l'a dit, mêle pas Frédérick à ça. Si t'es assez stupide pour retomber dans boisson après tant d'efforts, assume!

— Assume? Tu penses que c'est facile, hein? Eh bien non, c'est pas facile. Surtout avec une fatigante qui est tout le temps en train de me surveiller, tout le temps sur mon dos! J'fais juste ça, assumer! Là, j'prends un break. Si t'es pas contente, tant pis.

— Non, j'suis pas contente. Tellement pas contente que je m'en vais.

— Tu t'en vas où ?

— J'm'en vais d'ici, j'te quitte, je pars avec Frédérick. On va s'installer chez ma sœur en attendant que je trouve un appartement. Je t'avais averti, André.

Mon père est devenu furieux. Il s'est levé, sa chaise s'est renversée. Moi aussi, je me suis levé. Il s'est approché de ma mère, trop proche :

— Tu penses que tu peux te pousser de même ? T'as pas d'affaire à t'en aller nulle part. Tu penses que tu vas me ridiculiser ? Me laisser me débrouiller avec la maison et tout le reste ? Tu penses peut-être que j'vais vendre la maison, que tu vas en prendre la moitié et que tu vas me laver avec une pension aussitôt que j'vais me trouver une autre job, c'est ça ?

Là, il criait. Au moins, on avait décidé de souper dans la maison ce soir-là, mais comme les fenêtres étaient ouvertes, le voisinage au complet devait entendre. Moi, en tout cas, j'en entendais beaucoup trop, mais je ne pouvais pas partir et laisser ma mère toute seule avec lui. Il l'avait prise par le bras et lui faisait mal. Je lui ai dit de la lâcher. Il m'a répondu :

— Mêle-toi pas de ça, t'en as assez fait de même !

— J'ai rien fait !

— Raconte-moi pas n'importe quoi. Ton air fendant, comme si j'étais pas assez bon pour toi, j'veux pus le voir !

Et là, il m'a frappé. Fort, au visage. Un vrai coup de poing. Je pensais que ma joue, ma tête au complet allait exploser. En fait, je pensais que j'allais tomber sans connaissance tellement la douleur et le choc étaient intenses. Sauf que quand j'ai vu ma mère s'approcher de mon père et le frapper à son tour, je me suis accroché. Même si je voyais le plancher qui bougeait, même si tout était flou et tournait autour de moi, il ne fallait pas que je m'écrase, pas maintenant. Le drame faisait juste commencer. Comme pour me prouver que j'avais raison, mon père a attrapé les mains de ma mère, qui le frappait un peu partout sans que ça donne vraiment grand-chose, et lui a donné une claque au visage tellement forte qu'elle est tombée par terre. Pendant la chute, sa tête a cogné sur le comptoir de la cuisine et ma mère s'est écrasée, molle, sur le plancher. J'ai paniqué. Mon cœur allait sûrement sortir tellement il battait fort. J'avais comme un voile rouge devant les yeux. Du sang ? Peut-être, mais ce n'était pas important.

J'allais lui sauter dessus et faire ce que j'avais eu envie de faire tellement souvent. Je ne voyais rien, j'avais un œil qui était comme inexistant et dans l'autre, tout était embrouillé, mais pas grave. Je lui ai sauté dessus en même temps que ça s'est mis à cogner à la porte. Comme au ralenti, j'ai vu des policiers entrer par la porte-moustiquaire à l'avant de la maison. Un voisin avait appelé la police. J'ai figé et mon père est resté là sans bouger. Il s'est pris le visage entre les mains et s'est mis à pleurer avant de se précipiter vers ma mère qui était toujours au sol. Les policiers l'ont retenu et j'en ai entendu un demander une ambulance dans sa radio. Je me sentais un peu trop comme dans un épisode d'une série policière.

* * *

Je ne me souviens pas trop de ce qui s'est passé après ça. J'ai été dans l'ambulance, avec ma mère. Elle était consciente, mais elle pleurait, n'arrêtant pas de me demander si j'étais correct. Moi aussi, je pleurais, je pense. Mais je n'étais pas vraiment là. Comme dans la lune, mais pas tout à fait. J'étais vidé et je tremblais. Je me demandais où était mon père. J'avais vu les policiers l'embarquer. Ça me faisait drôle, comme si ça ne me touchait pas vraiment. Ce qui s'est passé à l'hôpital est pas mal flou. Je me souviens que j'avais mal, oui, mais que l'infirmière m'a dit que je n'avais rien de cassé. J'ai parlé à plein de monde. La police, me semble, une femme de la DPJ, aussi, je pense.

Tout ce dont je me souviens, après ça, c'est de ma mère qui essayait de m'expliquer qu'elle ne porterait pas plainte. Je la trouvais niaiseuse. Pourquoi pas ? Mon père était fou, il m'avait frappé, l'avait frappée elle aussi, et ce n'était pas assez ? Je me foutais de ce qui lui arriverait, à lui. Je savais juste que si je ne le voyais plus jamais, ça ne me ferait rien. Pas de peine, en tout cas. Après, ma tante et mon oncle sont arrivés. Ma tante essayait de réconforter ma mère, mais elle pleurait, elle aussi. Ça ne devait pas l'aider tellement, ma mère. En tout cas. Moi, je ne pleurais plus et j'ai comme compris qu'il se passerait un bon bout de temps avant que je pleure encore dans ma vie. C'était fini, ça. Autant j'avais mal partout, autant je sentais que je n'étais plus le même. J'avais toujours voulu que mon père m'aime, me montre que j'étais important pour lui, qu'il était fier de moi. Ce soir-là, j'ai arrêté de vouloir ça. Mon père était malade ? OK. Mon père nous avait frappés, ma mère et moi ? Non, ça, je ne le prenais pas. Quand j'avais vu ma mère couchée par terre, j'avais vraiment cru qu'il l'avait tuée et j'ai réalisé qu'il aurait très bien pu le faire. Par accident, oui, sûrement. Je ne pense pas qu'il aurait voulu la tuer, mais il aurait pu quand même. Et quand tu réalises que ton père aurait pu tuer la seule personne qui t'a vraiment aimé, la seule personne vraiment importante dans ta vie, tu t'en fous que ton père t'aime ou pas. Carrément.

On est partis dans l'auto de mon oncle et c'est ça qui était ça.

Fuck.

Deuxième partie

CHAPITRE 8

Plus un ti-cul

J'avais trouvé que le temps passait vite, moi? Ce n'était rien. L'année qui a suivi, celle de mon secondaire quatre, j'ai l'impression qu'elle a duré à peine un mois. J'étais tellement occupé que les semaines passaient sans que je m'en rende compte et c'était bien correct parce que je n'avais pas envie de réfléchir. C'était trop déprimant.

J'ai travaillé encore plus d'heures en attendant que l'été finisse. Mon patron m'a posé des questions la première semaine en me voyant arriver avec un œil au beurre noir et des points de suture, mais je lui ai dit que j'étais tombé en vélo et il ne m'a plus rien demandé. Je travaillais douze heures par jour. Au moins, je n'étais plus plongeur à crever de chaleur à côté des gros lave-vaisselle. Là j'étais *busboy*. Je ramassais les tables et je faisais du ménage. C'était mieux qu'avant même si c'était loin de ma job de rêve. J'avais même fait rentrer mon cousin Patrick au resto. Il travaillait avec moi à l'heure du souper, pendant les *rush*.

On est déménagés chez ma tante et on est restés là pendant presque trois mois. Ça se passait quand même bien. Ils étaient fins, mon oncle et ma tante, et mon cousin Patrick aussi. Il avait le même âge que moi et il allait à mon école. On ne se tenait pas ensemble, parce qu'on n'était pas du même genre ; lui jouait au hockey, faisait du skate et tripait techno. Mais il était cool. Il m'a aidé à m'installer chez eux et m'a invité à sortir avec ses amis, quelques fois. Bof. J'appréciais, mais j'avais autre chose à faire comme travailler et jouer du drum.

Ma mère pleurait la plupart du temps. On parlait beaucoup, elle et moi. Elle me disait qu'elle voulait arrêter de se morfondre, mais elle était vraiment mélangée. Elle ne savait pas si elle divorcerait. Elle avait peur de le faire et au fond ne le voulait pas. Je n'en revenais pas : elle disait qu'elle aimait encore mon père.

— T'sais, ce qui s'est passé, c'est juste une petite partie de ce qu'on a vécu ensemble. Sur vingt-quatre ans, on a eu pas mal plus de bonnes années que de mauvaises, je peux pas juste oublier !

Ouain. Peut-être, mais elle me faisait un peu penser aux filles qui s'accrochent à leur chum parce qu'elles ne veulent pas être toutes seules ou parce qu'elles l'aiiiiiiiment donc, sans savoir pourquoi ou... en tout cas.

Mon père lui téléphonait. Il voulait lui parler, s'excuser encore et encore. Il disait qu'il avait arrêté de boire, la suppliait de croire que c'était pour de bon, il avait recommencé à aller aux rencontres de son groupe de soutien pour alcooliques et tout le reste. Bin oui. Il voulait me parler, à moi aussi, mais je ne voulais rien savoir.

Le soir, quand il me restait de l'énergie, j'allais chez Sébas. C'était presque tout le temps le party. Pas mal de monde se ramassait à boire des *shooters* et à fumer des joints. Alex était là souvent, mais ça ne me faisait plus rien de la voir. Elle était devenue une vraie petite garce. Avec ses deux amies, les jupettes, elle jouait à l'agace avec à peu près tous les gars qu'elle rencontrait et je n'en revenais pas d'avoir autant tripé sur elle. Sébas, lui, ne sortait plus vraiment avec Alissia. En fait, il couchait encore avec elle, mais Annie-Jade était souvent pendue à son cou, d'autres filles aussi, alors je savais plus, mais je m'en foutais. Moi, je ne buvais presque pas. Je n'étais pas capable de me soûler. J'avais essayé, mais tout ce qui me revenait en tête, c'était l'image de mon père et la tache en avant de son pantalon. Dégueu. Je ne voulais pas avoir l'air de ça. Je regardais la gang et plus ils buvaient, plus je les trouvais cons. Eux se trouvaient drôles, faisaient des niaiseries vraiment stupides et riaient comme des attardés. Pas grave. C'était mieux que d'être chez ma tante à regarder ma mère pleurer. Moi, je me contentais de prendre une bière, pour faire comme tout le monde, mais je n'aimais pas le goût et j'en prenais rarement plus qu'une ou deux. Je n'aimais pas le buzz non plus. J'ai commencé à fumer des joints à la place. Ça me calmait et pendant que j'étais gelé, je ne pensais plus à mon père ni à ma mère ni à Alex, je ne pensais plus à rien et je trouvais les autres moins cons.

C'était souvent moi qui ramassais les filles qui s'écroulaient dans le gazon parce qu'elles avaient trop bu. Ou les bouteilles de bière cassées sur le ciment qui auraient pu couper quelqu'un. Les autres ne voyaient rien : ils trouvaient ça trop drôle d'être soûls, quitte à finir la soirée à vomir aux toilettes.

J'ai enfin pu m'acheter mon drum. Pas neuf, comme je l'aurais voulu, mais je voulais commencer mes cours de conduite aussitôt que je le pourrais et ça coûtait une fortune. Il fallait que je me ramasse de l'argent pour ça aussi. Ma mère ne pouvait pas les payer parce qu'elle cherchait un appartement et s'inquiétait de ce que ça coûtait ; si je voulais mon permis le plus vite possible – et je le voulais vraiment –, fallait que je me débrouille.

Pas de problème.

J'ai installé mon drum chez Sébas. Je pouvais y aller n'importe quand ou presque. Il m'avait même donné une clé pour que je puisse y aller quand il n'était pas là. Quand je pratiquais, je n'avais pas besoin de m'occuper de ce qui se passait dans la pièce d'à côté. J'oubliais qui était là, de toute façon. Pour ça aussi, pas de problème. J'arrivais à me foutre de pas mal tout et c'était parfait.

Pendant ce temps-là, on s'habituait à vivre chez ma tante. Je partais pour l'école avec Pat le matin. Ça faisait drôle d'aller à l'école avec quelqu'un, mais une fois rendus, on partait chacun de notre côté. Lui avec ses amis, moi tout seul. Je faisais ce que j'avais à faire. Je passais mes dîners au local de musique quand je le pouvais, sinon, j'allais marcher, mon excuse pour fumer un joint. Je ne voulais pas rester à l'école. Rien de ce qui s'y passait ne m'intéressait.

Ma mère et moi, on a déménagé en appartement en octobre. Ma mère avait trouvé une place pas pire. C'était pas mal plus petit que la maison qu'on avait, mais c'était correct. Je n'avais pas l'intention d'être là souvent, *anyway*. On est allés chercher des affaires à la maison, « chez mon père ». Je ne m'habituais pas encore à dire ça. Pour moi, tout ce qui se passait était irréel ou, au moins, temporaire. Des meubles, les affaires de ma mère et les miennes qui étaient encore là, ça faisait vraiment bizarre. On y allait quand mon père n'était pas là, avec ma tante et mon oncle, et moi je ne disais pas un mot. J'apportais des boîtes, des chaises, je me sentais comme un robot. Je regardais la maison où j'avais toujours habité et je me demandais si j'allais y revenir, vivre là encore un jour. Je ne le savais pas, ma mère ne le savait pas et je ne pouvais même pas dire si je le voulais ou non. Dans l'appartement, il y avait plein de choses que je n'avais jamais vues. Ma tante avait trouvé des lits et les autres meubles qui nous manquaient. Ma mère avait acheté toutes les autres affaires dont on avait besoin, comme des serviettes, de la vaisselle. J'avais l'impression d'être dans un motel cheap. On était pauvres, on était ceux qui ramassaient les vieilles affaires que les autres ne voulaient plus et ça me faisait haïr mon père encore plus. C'était chien que lui vive dans notre maison avec presque tout ce qu'on avait avant pendant que nous autres on vivait comme des BS. Pour me consoler, je me disais qu'un jour, j'aurais un appartement plus grand, avec juste pour moi des meubles qui avaient de l'allure, et ça, je trouvais ça cool. Ça ne me dérangeait pas vraiment de vivre avec ma mère. Je n'aurais jamais pu payer un appartement tout seul, je le savais bien. Pas encore, mais un jour.

Puis, enfin, le band s'est mis sur pied. Sébas voulait toujours engager une chanteuse, mais en attendant, il avait trouvé Jérôme, un chanteur qui jouait aussi des claviers, et on avait décidé d'essayer le band comme ça avec Yannick, un chum du frère de Sébas, à la basse. Il ne m'inspirait pas confiance, ce gars-là, parce qu'il se prenait pour un gros toffe, mais il jouait bien. C'était tout ce qui comptait.

Ma vie en secondaire quatre était donc ça : j'allais à l'école, je travaillais presque tous les soirs jusqu'à neuf heures et on pratiquait de neuf et demie jusqu'à onze heures, onze heures et demie. Je me couchais, et ça recommençait. Les soirs où on ne pratiquait pas, je faisais mes devoirs. Ma mère était inquiète : elle trouvait que je ne souriais pas, que je ne prenais pas le temps d'avoir du fun, de voir des amis. Je la rassurais en disant que je voyais mes amis à l'école et aux pratiques. Elle n'avait pas besoin de savoir que je n'en avais plus vraiment, des amis. J'avais pas mal perdu Charles et Tom de vue. Ils avaient d'autres chums, d'autres intérêts. Les gars du band n'étaient pas vraiment mes amis non plus. Je m'entendais assez bien avec Jérôme et Sébastien même si après avoir changé d'idée plusieurs fois, je trouvais Sébastien de plus en plus con, finalement. En me gelant, c'était plus facile de ne pas m'occuper de lui. Je disais aussi à ma mère que je pensais au cégep, que je savais que mes notes de cette année comptaient beaucoup et que je me concentrais là-dessus. Ce n'était pas vraiment un mensonge : j'y pensais pour vrai, j'avais pas mal décidé que j'irais dans un programme d'arts graphiques même si ce n'était pas nécessairement ma priorité. Je voulais la rassurer pour qu'elle me laisse tranquille. Elle ne me croyait pas tout à fait, mais je pense que mon explication faisait son affaire.

Le band avançait bien. Sébastien, malgré ses défauts, était vraiment bon et même si quelques soirs il n'était pas vraiment straight, ça ne paraissait pas dans sa façon de jouer. Jérôme non plus n'avait pas l'air trop affecté par la bière, les *shooters* ou le reste, même que je trouvais qu'il chantait encore mieux quand il avait bu un peu. Un peu, c'était juste ça, le problème, des fois. C'était rarement juste un peu.

Un soir, ils se sont mis à déconner, Yannick, Sébas et lui. Ils étaient allés pas mal fort dans les *shots* de Jack et en allant aux toilettes, Jérôme s'est mis à marcher tout croche. Les gars trouvaient ça drôle, mais moi, ça me faisait juste penser à mon père. Sébas a dit :

— Hey, Jé, tu fais des beaux zigzags, attention de pas pisser à côté du bol !

— J'fais pas d'zigzags pantoute, *man...*

Ils étaient tous partis à rire.

— Des zigzogs ! Hey, c't'un bon nom de band, ça ! *Go*, on s'appelle ZigZog !

C'est comme ça qu'on avait choisi notre nom et je ne peux pas dire que j'étais fier, mais c'était un détail. La seule chose qui m'énervait vraiment, c'était les jupettes qui collaient chez Sébas comme des mouches fatigantes. Elles étaient tout le temps là et c'était rendu ridicule. Les filles passaient d'un gars à l'autre chaque semaine, j'avais même l'impression qu'elles auraient pu être une ou l'autre, que ça n'aurait pas fait de différence. Et les gars, surtout Yannick et Sébas, en profitaient et les traitaient comme les petites putes qu'elles avaient l'air de vouloir être. Annie-Jade s'était même essayée avec moi, mais quand je lui avais ri au visage, elle était partie en faisant une grimace. Qu'est-ce qui se serait passé si je l'avais laissée continuer ? Sûrement qu'elle m'aurait fait une pipe ou que j'aurais pu coucher avec elle facilement. C'est sûr que j'avais été tenté – tous les gars l'auraient été à ma place, surtout que depuis Alex, je n'avais été avec personne d'autre. Mais je n'étais quand même pas assez désespéré et je me doutais bien que ces filles-là n'étaient sûrement pas tout ce qu'il y a de plus clean. Je me respecte plus que ça, faut croire. Tant pis, tant mieux.

L'automne a passé, l'hiver aussi. J'avais commencé mes cours de conduite en plus du reste, et ça ajoutait à mon horaire déjà pas mal plein. À l'Halloween, Yannick a organisé un party chez ses parents. C'était une grosse affaire. Beaucoup de monde déguisé, la musique trop forte. On a joué un peu, et tout le monde était soûl. Il n'était même pas minuit que les chambres étaient prises par les filles, dont mon ex, où elles faisaient des concours de strip-tease pendant que les joints se promenaient partout. Je me suis gelé et je suis parti. Je n'étais pas à ma place.

Noël a été assez étrange. Mon père voulait nous voir, mais ma mère n'en avait pas vraiment envie et moi non plus. On l'a plutôt passé chez ma tante avec plein de monde qui faisaient des efforts pour faire comme si de rien n'était, comme si c'était normal qu'on soit là, juste nous deux.

Pendant ces mois-là, j'avais juste des nouvelles de mon père de temps en temps en écoutant ma tante parler avec ma mère. Apparemment, il avait vraiment arrêté de boire et s'était trouvé un nouvel emploi. Ma tante disait qu'il lui téléphonait souvent pour lui demander d'essayer de convaincre ma mère de retourner à la maison. Ma mère tenait son bout. Elle avait décidé de prendre le temps qu'il fallait pour décider ce qu'elle voulait faire, et surtout voir si mon père tiendrait sa promesse de ne plus boire. Tout ça, j'avais l'impression que ça ne me regardait pas. J'avais seize ans depuis un bout, je n'avais pas besoin de mon père et je me sentais capable de me débrouiller dans la vie sans lui.

J'avais l'impression d'être dans un film où les pages d'un calendrier s'arrachent en accéléré. Janvier est passé, et le temps de le dire, on était rendus en mai, l'année achevait et je finissais mon secondaire quatre comme je l'avais commencé, dans une espèce de brume, un tourbillon plutôt. J'avais aucune idée comment j'avais vécu cette année-là. Un flash. *Fast forward* de la mort. Mais j'avais mon drum, bientôt mon permis de conduire et assez d'argent pour me geler quand ça me tentait. C'était parfait.

CHAPITRE 9

Ma tête à *off*

Cet été-là, je l'ai passé encore à travailler, à finir mes cours de conduite et à pratiquer la batterie. Je me gelais de plus en plus souvent; c'était encore la seule façon que j'avais trouvée de *chiller* et de ne penser à rien. Je ne m'étais pas rendu compte que c'était presque tous les jours, mais ce n'était pas pour déconner avec la gang, c'était pour mettre ma tête à *off*. J'avais décidé que j'arrêterais quand l'école recommencerait, ou en tout cas, je diminuerais.

Les gars du band, eux, passaient presque toutes leurs soirées sur le party, se levaient au milieu de l'après-midi et allaient camper pour se soûler pendant que moi, je travaillais. Le lendemain, ils se passaient des peanuts pour se réveiller et recommençaient. J'aurais voulu relaxer, niaiser moi aussi, avoir une blonde et triper, mais ce n'était juste pas le temps. Je voulais m'acheter une auto et me trouver une meilleure job pour l'automne parce que je n'en pouvais plus du restaurant. C'était *down*, tout ça.

Ça fait qu'au lieu de diminuer le pot et le hasch quand l'école a recommencé, j'ai comme augmenté.

Sébas a changé d'école. Après son secondaire

quatre, il a décidé de faire un cours de mécanique. Il a commencé à vendre de la dope et je me faisais des réserves… L'effet que je ressentais quand je fumais durait de moins en moins longtemps, fallait donc que je fume de plus en plus. Après un bout de temps, j'ai commencé à fumer le matin avant que l'école commence. Je trouvais que les cours passaient plus vite. Je sortais le midi pour ça et je fumais un autre joint en retournant à la maison pour me donner le courage d'aller travailler. Quand je revenais le soir, j'étais tellement fini que j'avais besoin de fumer encore.

Je ne prenais pas de chimique comme la gang du band, donc ça ne pouvait pas être grave. Jusqu'à ce qu'on arrive à la fin de la première étape et que je reçoive mon bulletin. Je ne coulais dans rien, mais c'était pas fort, *vraiment* pas fort. Je n'avais rien vu. Ce bulletin comptait pour beaucoup dans ma demande au cégep et je venais de foirer d'aplomb. Fuck.

Quand ma mère a vu ça, elle a pleuré. Elle voulait me parler, mais je ne me sentais pas capable de l'entendre. Je lui ai juste dit :

— J'vais me reprendre, c'est juste une couple de travaux que j'ai moffés.

Elle m'a regardé avec tellement de douleur dans les yeux que ça m'a fait mal. C'était le même regard qu'elle avait pour mon père quand il recommençait à boire.

Moi, j'étais découragé, autant par la réaction de ma mère que par la côte que j'avais à remonter pour mes notes. Pour la première fois, je me suis sérieusement demandé si je n'étais pas mieux de lâcher l'école et de travailler à temps plein.

Un soir, ma mère m'a demandé de m'asseoir à la cuisine avec elle. Ce n'était pas dans mes plans; j'avais fumé un bat particulièrement costaud plus tôt et mon buzz commençait à sérieusement redescendre. J'avais juste envie de manger et d'aller m'étendre dans ma chambre. Elle a insisté. Elle pleurait et je n'ai pas eu le choix.

— Qu'est-ce qui se passe, Fred?

— Euh… Qu'est-ce que tu veux dire? Il se passe rien…

— J'ai trouvé ça dans ta chambre, Fred.

Elle avait trouvé mon kit. Une bonne *bit* de hasch et une couple de joints. Je les lui ai arrachés des mains. J'ai gueulé qu'elle n'avait pas le droit de fouiller dans mes affaires et là, elle m'a engueulé, elle aussi. C'était la première fois que je la voyais de même avec moi.

— J'ai tous les droits, Fred! J'ai assez de misère comme ça, à travailler comme une débile pour payer l'appartement et tout le reste, je peux juste pas te regarder t'enfoncer de même comme ton père l'a fait. Tu peux pas me faire ça, toi aussi.

Je ne savais pas quoi dire. Mon *down* de hasch m'empêchait de réfléchir comme il faut, mais je savais qu'elle avait au moins un peu raison. Même si je me faisais accroire assez facilement que la quantité de dope que je fumais était sous contrôle, au fond, je commençais à me demander si c'était vraiment le cas. Et le pire, ce qui me faisait le plus peur, c'était qu'il y avait une *grosse* partie de moi qui s'en foutait, qui était très à l'aise avec ça. J'avais envie de continuer à gueuler, moi aussi, mais à la place, je me suis écrasé. Si ça avait été mon père en face de moi, j'aurais sûrement pété un plomb. Avec ma mère, je n'étais pas capable. Je ne disais rien et ça l'a comme calmée, elle aussi. Elle s'est mise à pleurer en silence, et c'était pire que si elle avait continué à me crier après et j'ai débuzzé complètement. Plusieurs longues minutes plus tard, elle m'a dit:

— Ça fait longtemps que j'hésite. Ton père me supplie de retourner à la maison, et je pense que c'est ce que je veux, moi aussi.

J'en croyais pas mes oreilles. Elle voulait qu'on y retourne? Ma première réaction a été de dire non, moi, je ne voulais pas retourner là-bas. Elle m'a dit que je n'avais pas encore le choix de la suivre où qu'elle aille, et c'est ça, finalement, qui m'a fait exploser.

— Pas le choix, hein? Tu vas faire quoi si je décide

de lâcher l'école pis de travailler pour me payer mon appart?

Je l'aurais frappée que l'effet aurait été le même. Je savais, je l'avais déjà vu.

— Non, Fred! Je t'en supplie, pas ça. Tu veux vraiment travailler pour le reste de tes jours au restaurant ou à une autre job que t'haïs autant? Juste parce que t'es trop orgueilleux pour pardonner à ton père? Des fois, mon gars, faut savoir passer par-dessus ce genre d'affaires là.

— Toi, t'es peut-être capable, mais moi, non. Il t'a tapé dessus, maman! Qu'est-ce que ça va prendre pour que tu te réveilles? Tu l'sais qu'un jour ou l'autre, il va recommencer. Moi, excuse-moi, mais j'veux pas être là pour voir ça. S'il faut que j'aie une job minable pour m'éviter ça, tant pis. J'vais finir par trouver quelque chose qui a de l'allure un moment donné.

— Tu penses vraiment qu'avec un secondaire quatre tu vas avoir la grosse job à cent mille par année? Tu rêves, Fred. Tu vas gâcher ta vie si tu fais ça. On est encore responsables de toi, papa et moi. Je sais que je peux pas te forcer, mais réfléchis. C'est ta maudite dope qui te fait penser de même.

Je me suis levé et je suis allé dans ma chambre. Ça ne servait à rien de continuer à parler. Fallait que je fasse du ménage dans ma tête et ce n'était pas possible avec elle qui paniquait. Je ne voulais pas vraiment lâcher l'école – j'avais été aussi surpris que ma mère de m'entendre dire ça –, mais mes notes de la première étape me décourageaient. Si j'étais pour couler, aussi bien lâcher maintenant, non? J'avais presque dix-sept ans. C'était vrai que je ne voulais pas du salaire minimum pour le reste de mes jours, mais je ne voulais pas retourner vivre avec mon père non plus, et il le savait sûrement. En fait, je m'inquiétais pour ma mère. Si je vivais ailleurs et que mon père recommençait à boire, elle serait toute seule avec lui... Qu'est-ce qui serait arrivé, la dernière fois, si je n'avais pas été là? Non, je ne pouvais pas la laisser là.

Alors, j'ai eu une idée.

J'y ai pensé pendant quelques jours en essayant de voir si c'était vraiment possible et selon moi, ça se tenait. Il était temps d'en parler à ma mère:

— Qu'est-ce que tu dirais de transformer le sous-sol de la maison en appartement pour moi, avec une entrée séparée?

Elle m'a regardé, étonnée, et je retenais mon souffle. Je n'ai pas été surpris de sa première réaction:

— Ça serait une bonne idée, Fred, mais ça coûterait beaucoup trop cher... Et puis, je suis pas sûre que tu es prêt...

— Je pourrais en payer une bonne partie, vous

donner de l'argent à chaque paye. Pour ce qui est d'être prêt ou pas, c'est pas comme si je m'en allais loin, je serais juste en bas. J'aurais pas à vivre avec papa, mais je serais là pareil. Je pourrais pratiquer autant que je voudrais avec mes *pads* de pratique, pis au pire je monterais pour souper la plupart du temps, au moins au début...

Elle m'a écouté, ce qui était déjà pas mal, puis elle est restée silencieuse quelques minutes et finalement, elle m'a dit:

— Faut que j'y réfléchisse bien comme il faut, OK? Et je vais en parler à ton père...

C'était quand même encourageant et j'étais assez confiant en allant travailler ce soir-là. Quand je suis revenu à la fin de la soirée, mon père était à l'appartement. Je ne l'avais pas vu depuis des mois. Il avait maigri, il avait l'air vieux. Ses cheveux étaient tout gris. Ma mère est sortie et il m'a demandé de m'asseoir avec lui.

— Je sais que t'as pas une bonne opinion de moi et je peux pas t'en vouloir. Mais t'es mon gars et malgré ce que tu penses, t'es important pour moi et je veux te prouver que j'ai changé. Je suis pas parfait, je le serai jamais, mais j'ai compris que je suis pris avec mon problème à vie. Je suis un alcoolique, Fred, mais je veux m'en sortir et je suis bien parti. Je sais que tu pourras probablement jamais me pardonner tout ce que j'ai fait et tout ce que j'ai dit et il faut que je vive avec ça. Mais je pense que ton idée est bonne de faire un appart au sous-sol. Je vais payer ce que je peux et ta mère m'a dit que t'étais prêt à faire le reste. On va essayer ça, OK?

J'ai hésité un bon bout de temps avant de répondre. Je l'ai regardé au fond des yeux, probablement pour essayer de voir s'il était sincère. Je l'ai cru. Quand j'ai dit : « OK », j'me suis rendu compte que j'étais soulagé.

En même temps, j'ai eu comme une révélation. Je ne voulais pas, comme lui, être pris avec un problème à vie. Je ne buvais pas, mais si j'étais honnête avec moi-même, c'était clair que les joints étaient en train de devenir un vrai problème. C'était carrément une habitude et j'avais peur de ne plus être capable de m'en passer. Au fond, j'étais en train de devenir comme mon père. Je m'étais dit qu'une fois de temps en temps, ce ne serait pas un problème, mais là, c'était tous les jours. J'avais essayé de juste fumer la fin de semaine ou de sauter des jours de temps en temps, mais ça ne marchait pas. Je me trouvais toujours une excuse pour attendre au lendemain pour prendre un break. Comme mon père, je m'étais fait croire qu'il n'y en avait pas, de problème. Comme mon père, j'allais essayer de régler ça pendant qu'il était encore temps.

Ce soir-là, je suis allé au parc et j'ai fumé mon dernier joint. Je voulais que ce soit mon dernier à vie.

* * *

La fin de l'automne et le début de l'hiver, je les ai passés à me promener entre l'appartement et le sous-sol de la maison. Mon père avait un ami qui travaillait dans la construction et il est venu faire les rénovations. Après un mois et presque tout l'argent que j'avais ramassé, j'étais chez moi. J'avais juste à travailler encore plus pour payer mon auto. Faut dire que je dépensais pas mal moins depuis que j'avais arrêté de fumer de la dope, et ça me rendait assez fier. Oui, j'avais eu des moments où j'avais eu *sérieusement* envie d'un bon joint. D'autres où je sentais que j'en avais vraiment besoin. Mais dans ces cas-là, je me défoulais sur mon drum et ça allait mieux. Un peu.

Chez moi, j'étais vraiment bien. J'avais pris les meubles et les autres affaires qu'on avait à l'appartement, et j'avais trouvé un frigo et un four usagés. Tout à coup, ça ne me dérangeait plus que ce soit de vieilles affaires que d'autres ne voulaient plus. J'ai peinturé des meubles, arrangé des tablettes. Ce n'était pas parfait, mais c'était à moi. Méchant feeling. Pour mon lavage et la plupart des soupers, j'allais en haut. Pour le reste, j'étais dans mon chez-moi.

Je n'avais jamais tripé comme ça, je ne m'étais jamais senti aussi libre. Je pratiquais autant que je le voulais, je faisais ce que j'avais envie de faire. Ma mère était impressionnée parce que je gardais ça propre. J'haïssais le désordre.

Je me suis trouvé une auto aussi. Une amie de ma mère vendait la sienne, qui était vieille mais n'avait pas trop de kilométrage. Les assurances ne me coûtaient pas si cher et avec ça, je pourrais aller au cégep et travailler où je le voulais sans être obligé de prendre l'autobus.

Un mois plus tard, j'ai commencé mon emploi au magasin de musique où j'achetais mes peaux et mes baguettes de drum, et ça aussi, c'était vraiment cool, pas mal mieux qu'au restaurant. Je gardais cette job-là aussi la fin de semaine. Avec les deux, je réussissais à me faire un pas pire salaire. Il me restait deux soirs de semaine et du temps la fin de semaine pour mes devoirs, et je me suis vraiment forcé pour améliorer mes notes.

Du côté du band, Sébas a finalement trouvé une chanteuse. Elle était vraiment bonne, et ça ajoutait réellement quelque chose d'original au band. Elle était belle et chantait vraiment bien. Elle était le genre de fille qui m'aurait vraiment intéressé, mais elle avait un chum, et de la côtoyer m'a fait voir à quel point je m'ennuyais d'avoir une blonde. Quelqu'un avec qui parler, avoir du fun et faire autre chose que parler, évidemment. Sauf qu'à l'école, je ne prenais pas tellement le temps de regarder autour de moi, et les filles qui se tenaient avec les gars du band n'étaient vraiment pas mon genre. De toute manière, je n'aurais pas eu tellement de temps à passer avec une fille. Je me disais que ça viendrait un jour.

En attendant, je me contentais de regarder Catherine chanter et de trouver son chum chanceux. Sébas, lui, ne pouvait pas s'empêcher de la cruiser et j'avais peur qu'il gâche tout. On aurait dit que le fait qu'elle n'était pas pâmée sur lui l'achalait, comme si ce n'était pas normal. Il passait des remarques tout le temps sur la façon dont elle chantait, comment elle s'habillait; il disait qu'elle était trop belle pour avoir un chum, que ce n'était pas juste pour les autres. Au début, elle trouvait ça drôle, mais un moment donné, ça a commencé à l'énerver. Un soir qu'on relaxait après la pratique et que Sébastien avait pris quelques bières, il est devenu carrément fatigant et la collait tout le temps. Finalement, elle s'est levée et lui a dit:

— OK, Sébas, écoute-moi bien. J'adore ça être dans le band, mais si t'arrêtes pas, j'vas m'en aller. J'ai un chum ça fait presque deux ans. J'vas pas jeter ça par la fenêtre pour toi, OK? Mets-toi ça dans la tête.

J'étais surpris, content, vraiment fier d'elle. Qu'une fille ait le guts de dire quelque chose du genre à Sébastien devait être une première. Lui, il avait son petit sourire baveux, mais il était comme figé, il ne savait pas trop comment réagir. Finalement, il a répondu :

— Wô, ma belle, calme-toi. J'ai pas besoin de toi, j'ai pas vraiment de misère avec les filles, t'sais. J'ai compris, j'te laisse tranquille, mais c'est toi qui manques de quoi !

C'était bien lui, ça. Il s'est levé et est allé fumer un joint.

À partir de ce jour-là, l'ambiance a changé. Sébastien avait beau dire qu'il s'en foutait, je pense que Catherine avait piqué son orgueil et il ne le prenait pas. Chaque fois qu'elle se trompait dans les paroles d'une chanson ou qu'elle ne commençait pas à chanter à la bonne place, il disait quelque chose pour la planter. J'ai essayé de lui en parler, mais il m'a dit que c'était normal, qu'il faisait la même chose quand quelqu'un d'autre se trompait, qu'il voulait que le band soit *tight.* Mais je savais que ce n'était pas ça. On a continué tant bien que mal, mais ce n'était plus comme avant.

Un autre Noël a passé avec des vacances pour les autres et beaucoup d'heures de travail pour moi. La routine.

C'est après les vacances de Noël que j'ai rencontré Julianne. Je pensais l'avoir déjà vue à l'école, mais je n'étais pas sûr. La première fois que je l'ai vue pour vrai et de proche, c'était chez Sébas, avec les jupettes et Jessica, la blonde du frère de Sébas. Comme elle était avec elles, je l'ai presque ignorée étant donné que j'avais décidé d'avance que je n'étais pas inté-ressé. Mais un moment donné, j'étais dehors tran-quille pendant que les autres fumaient et buvaient, et elle est sortie. J'étais surpris qu'elle ne reste pas avec la gang. Quand elle m'a vu, elle a eu l'air gênée et je lui ai souri. Elle était belle, avec ses yeux qui m'ont transpercé tout d'un coup. Des yeux de chat, verts, incroyables. Je trouvais ça dommage qu'elle se tienne avec les jupettes. Je ne savais pas trop quoi lui dire, mais garder le silence aurait été bizarre, alors je lui ai dit :

— T'es pas avec les autres ?

— Non, je file pas pour boire ce soir.

Ah. Y avait peut-être de l'espoir… Elle a ajouté :

— Le band sonne vraiment bien. Je chante moi aussi et je trouve qu'elle est bonne, Catherine.

On a jasé. C'était facile. Julianne était clairement différente des jupettes. Je me demandais ce qu'elle leur trouvait, alors je n'ai pas pu m'empêcher de le lui demander. Elle m'a regardé avec ses yeux pas pos-sibles et m'a dit :

— Je viens d'arriver ici, je connais pas grand monde. Elles m'aident à me placer, c'est tout. Je suis pas sûre non plus de fitter dans leur gang, mais pour le moment, c'est pratique, t'sais ?

Je comprenais, mais je me disais qu'elle aurait quand même pu mieux choisir. On a parlé un peu, d'où elle venait, de comment était son ancienne ville par rapport à ici, puis on est rentrés. Je n'ai pas tellement été surpris, ce soir-là, de penser à elle dans mon lit. Je me disais qu'il fallait que je trouve un moyen de l'éloigner des greluches. Quelque chose me disait que ça lui nuirait plus qu'autre chose.

* * *

À partir de ce jour-là, je la voyais plus souvent à l'école, ou en tout cas, je la remarquais plus qu'avant. Elle se tenait avec les jupettes et essayait de leur ressembler physiquement, mais je trouvais que chez elle, ce n'était pas aussi naturel. Ça me rassurait parce que plus je la voyais, plus elle m'intéressait. Elle me souriait souvent, mais vu mes relations avec ses amies, ça n'allait jamais plus loin. Je les imaginais très bien lui dire à quel point j'étais straight, plate. Ça ne me dérangeait pas avant, mais là, oui. J'aurais voulu qu'elle me trouve intéressant, cool. Évidemment, quand les filles venaient nous voir pratiquer, c'est Sébas qu'elles regardaient, Julianne autant que les autres. Fuck. Une autre qui allait se pâmer devant lui et m'ignorer complètement. Pourquoi ne voyaient-elles pas à quel point il était con, combien il se foutait des filles et qu'il les traitait comme des jouets? J'étais *down*. Julianne était comme les autres, finalement.

Jérôme avait organisé un spectacle à l'école la dernière journée avant la semaine de relâche, en mars. Il y avait plein d'activités ce jour-là, pas de cours, et l'après-midi se terminait avec des spectacles donnés par des élèves de l'école. Normalement, on n'aurait pas pu jouer parce que Sébas, Yannick et Catherine ne venaient pas à notre école, mais on s'est débrouillés pour avoir une permission. J'étais super excité. C'était mon premier show et j'étais confiant.

Comme chaque fois que ça allait trop bien, évidemment, quelque chose de poche est arrivé. Deux semaines avant le spectacle, Catherine nous a annoncé que ses parents se séparaient et qu'elle déménageait avec sa mère. Elle changeait d'école, s'en allait dans une autre ville et ne pensait pas qu'elle pourrait continuer à chanter pour nous. Sur le coup, j'ai été vraiment déçu, mais Sébastien, lui, s'en foutait. Je pense qu'il attendait juste ça. Moi, j'ai tout de suite pensé à Julianne et d'un seul coup, ça me dérangeait moins que Catherine parte. Je l'aimais beaucoup, mais Julianne m'intéressait et elle était libre, elle. Vraiment, et pas juste comme chanteuse. Même si c'était évident qu'elle tripait sur Sébastien, je ne pouvais pas m'empêcher de me dire que peut-être j'avais une chance. Une petite, au moins.

L'après-midi du show, je n'étais pas nerveux, j'avais juste hâte de jouer. Le gym de l'école était plein et quand on a commencé les premières notes, c'était... magique. Je savais que j'étais à ma place. Les spots m'aveuglaient, j'avais chaud, mais j'étais à l'aise comme je ne l'avais jamais été. Le band a bien joué ; je pense que même si on avait été pourris, l'adrénaline qui me boostait aurait compensé. Je venais d'avoir la piqûre du *stage* et plus rien d'autre ne pourrait me plaire autant. C'était le seul, le meilleur buzz pour moi.

CHAPITRE 10

Julianne

Mon vœu s'est réalisé et Julianne est devenue notre nouvelle chanteuse. Je trouvais qu'elle était parfaite et j'essayais de penser à ce que je devrais faire pour qu'elle s'intéresse à moi.

J'étais déçu de voir qu'elle devenait de plus en plus pâmée sur Sébas et que lui, évidemment, jouait le jeu. Une autre fille, pourquoi pas? Il ne se gênerait pas. J'essayais de parler à Julianne, de lui faire voir que Sébastien n'était peut-être pas le gars qu'elle pensait, mais elle ne m'écoutait pas vraiment. Elle était gentille avec moi, mais je n'arrivais pas à m'approcher d'elle, à cause de ses amies qui m'énervaient. Quand elle n'était pas là, Sébastien passait des commentaires vraiment cons à son sujet et j'avais envie de le frapper. Il disait qu'elle ferait tout ce qu'il voulait, que c'était une autre avec qui il pourrait jouer un peu, s'amuser. Moi, je pensais bien que Julianne voulait autre chose que «jouer». Elle était amoureuse de Sébas, c'était évident, mais lui trouvait juste ça drôle. «Qu'elle m'aime ou pas, c'est pas mon problème, en autant qu'elle veuille avoir du fun!» Ça me rendait fou. Si une fille comme elle avait tripé de cette façon-là sur moi, j'aurais été fier, content, je ne l'aurais pas traitée comme une des greluches. Je ne pouvais rien faire pour lui montrer le genre de gars que Sébastien était. Rien du tout.

Pendant les pratiques, Sébastien sortait ses sourires et ses mots gentils et Julianne fondait sous chaque compliment. Puis, ils ont commencé à sortir ensemble. Du moins, c'est ce que Julianne pensait. Pendant les pratiques, il se comportait comme un chum, la tenait par la main, l'embrassait, et ça me faisait chier. Puis, une fois qu'elle était partie, d'autres filles revenaient, surtout Alissia ou Annie-Jade ou les deux, et Sébastien passait le reste de la soirée avec une, Yannick avec l'autre, n'importe laquelle. Je me demandais si Julianne le savait et j'avais envie de le lui dire, mais je ne voulais pas non plus me mettre mon guitariste à dos. J'étais pris entre les deux. Je trouvais Sébas dégueulasse, les filles aussi – surtout qu'elles étaient supposées être des amies –, mais je ne savais pas quoi faire. Alors, je n'ai rien fait, comme d'habitude.

Le temps a passé et Julianne était de toute évidence de plus en plus amoureuse. Sébas s'amusait. Il nous disait des affaires comme :

— Bon, j'ai enfin réussi à coucher avec! Ça valait la peine d'attendre. A s'imagine qu'on sort ensemble, j'pense. Comme si j'étais le genre de gars à avoir une blonde! Pourquoi en avoir une quand je peux en avoir plusieurs?

Il riait, le con. Il était maintenant évident que Julianne savait, ou du moins elle s'en doutait, qu'elle partageait Sébas avec les autres. Je ne comprenais pas qu'elle l'accepte sans rien dire et ça me décevait. Je la trouvais un peu conne, elle aussi. Ma mère m'avait déjà dit, en parlant de mon père, que les filles pouvaient endurer les pires affaires quand elles étaient amoureuses, et je voyais bien que c'était vrai. À ce point-là? Peut-être qu'elle pensait qu'elle arriverait à «changer» Sébas et qu'il serait aussi pâmé sur elle qu'elle l'était sur lui? J'imagine que c'était ce qu'elle espérait. Malheureusement, elle ne le connaissait pas autant que moi. Je n'en pouvais plus de regarder ça et j'ai essayé de parler à Julianne. Elle s'est contentée de me dire:

— Je sais, Frédérick, je suis pas conne. Je sais bien ce qui se passe, les filles se cachent même pas de ce qu'elles font avec Sébastien, mais je pense vraiment que s'il voit à quel point je peux être cool, il va m'aimer autant que je l'aime.

— La seule personne que Sébastien est capable d'aimer, c'est lui, Julianne. Et même si ça arrive comme tu veux, t'es prête à accepter qu'il couche avec d'autres filles pendant qu'il est avec toi?

— Tu comprends pas. S'il m'aime aussi, il aura

plus besoin d'aller avec les autres…

Non, je comprenais pas. Elle croyait réellement ce qu'elle me disait, et ça m'a fait réaliser que les filles sont vraiment dans leur bulle. Elles regardent trop de films d'amour. Elles pensent que ça se passe comme ça dans la vraie vie ? Pourtant, comme je n'étais pas comme Sébas, et je savais que c'était lui, le problème, pas elle. Sauf que je n'avais plus de façons d'essayer de la raisonner, alors, j'ai abandonné. Quand je la voyais partir avec lui, je serrais les poings et je ne disais rien. Quand Sébas nous racontait avec trop de détails ce qu'il avait fait avec elle et comment il avait commencé à la « travailler » pour qu'elle essaie des trips différents avec lui et Yannick, ça me levait le cœur. Je pouvais juste espérer qu'elle se réveille un moment donné.

Ça me déprimait, toute cette histoire-là avec Julianne. Je savais que ça n'avait pas d'allure, mais je ne pouvais pas me la sortir de la tête. Elle méritait tellement mieux que Sébas ! Elle méritait… moi, par exemple. Je n'étais tellement pas d'accord avec sa façon de laisser Sébas faire tout ce qu'il voulait et comment il se servait d'elle. J'aurais voulu qu'elle me choisisse, à la place de ce con. Finalement, je voyais bien que j'avais la tête aussi dure qu'elle, que je m'accrochais à des rêves, moi aussi.

* * *

J'ai fini mon secondaire cinq. J'avais été accepté au cégep en arts et honnêtement, j'étais fier. Mes parents aussi, c'est certain. Quand ma mère a vu mes photos de finissant, elle a pleuré. Je n'étais pas surprise.

Avec la fin de mon secondaire, par contre, venait le bal, et ça ne m'excitait pas tellement. D'abord, je n'avais pas de blonde. Me semblait que c'était une affaire de couple, le bal, et je n'avais personne à inviter. J'aurais pu inviter la sœur de Charles. Je la connaissais depuis longtemps, on était amis même si on ne se tenait vraiment pas ensemble. Elle était mon plan de secours comme j'étais le sien. Sauf qu'elle s'est fait un chum en avril. Je pouvais toujours y aller tout seul, mais je me suis rendu compte que c'est exactement ce que je serais : vraiment seul. Mon seul presque-ami à l'école était Jérôme, le claviériste, et comme il n'avait pas de blonde officielle, il y allait avec Alex. Je n'avais pas tellement envie de passer la soirée avec eux. Mes autres amis ou ex-amis comme Charles avaient aussi des blondes, et de toute façon, je ne savais pas s'ils voudraient que je sois à leur table étant donné que je les avais pas mal perdus de vue. Moi, ce que j'aurais voulu, c'est inviter Julianne. Mais je ne pouvais quand même pas demander ça à la blonde d'un autre gars. Mon guitariste, en plus.

Je ne sais pas si c'est ma mère qui a parlé à ma tante, mais mon cousin Patrick m'a accroché à l'école, un midi, pour me demander si ça me tentait d'aller au bal avec sa gang. Peut-être qu'il voyait bien que j'étais pas mal tout le temps tout seul. Je ne voulais surtout pas faire pitié, je n'avais pas besoin de ça, mais au fond, j'ai trouvé ça cool de sa part et j'ai dit oui. En plus, il voulait me présenter une fille. Je n'étais pas sûr que ça me tentait, mais je n'avais rien à perdre. C'était sûrement une fille pas belle qui était pognée toute seule pour le bal, ce qui, en fin de compte, était exactement mon cas. Ça ne pouvait pas être si pire, finalement.

En fait, je la connaissais. Elle s'appelait Marianne. Elle était cute, mais pas mon genre. Trop maigre, trop maquillée, trop parfaite. On n'aimait pas vraiment les mêmes choses sauf qu'elle était drôle et quand même intéressante. Elle venait de se faire laisser par son chum et même si on a essayé, ça n'a pas cliqué, ni de son côté ni du mien. Je l'ai quand même invitée au bal et elle était super contente.

Le fameux jour, on est allés chez ma tante. Marianne était vraiment belle, et j'étais content d'aller au bal avec elle. Patrick et moi, on avait un pas pire look avec notre tuxedo même si je me sentais déguisé. La blonde de Patrick, une grande rousse, était aussi belle que Marianne. Mon oncle avait loué une limousine et après toutes les photos, on est partis au bal. J'avais l'impression que ce n'était pas moi qui étais là, mais en même temps, je trouvais cette soirée importante.

Il me semble qu'il y avait toujours quelqu'un qui prenait des photos, officielles ou non. Le souper était mangeable, et j'ai eu plus de fun avec les amis de Patrick que je l'aurais pensé. J'ai même dansé avec Marianne. Je savais que j'avais probablement l'air cave, mais ce n'était pas grave. C'était évident que Jérôme et Alex étaient complètement gelés ou soûls, probablement les deux. Comme ils étaient à l'autre bout de la salle, c'était facile de les oublier, et c'est exactement ça que j'ai fait. J'ai oublié le band, mon père, la job ; j'ai oublié Julianne, Sébastien, tout. Je pense que c'est la première fois que je m'amusais autant. J'ai pris une couple de *shooters* sans que le fantôme de mon père vienne tout gâcher. Pas pour m'éclater, juste pour être bien. À la fin de la soirée, je me disais même que je pourrais peut-être revoir Marianne. En se connaissant de mieux en mieux, ça finirait peut-être par cliquer et me sortir Julianne de la tête ? Peut-être. Je me suis couché tard, fatigué, content. Je me sentais presque normal.

CHAPITRE 11

Non, pas vraiment

Jérôme nous a annoncé qu'il faisait un gros party à la Saint-Jean-Baptiste au chalet de ses parents. Ils étaient d'accord pour lui laisser la maison en autant qu'il n'y ait pas de dégâts et qu'on fasse le ménage avant de partir. Ça me tentait plus ou moins. En fait, je n'avais plus tellement envie de passer du temps avec le band et je commençais à me demander si je ne serais pas mieux de m'en trouver un autre. J'allais commencer le cégep et je me disais que j'allais sûrement rencontrer du nouveau monde, peut-être une gang avec qui je m'entendrais mieux. Mais ce soir-là, comme Julianne et plein d'autres personnes y allaient, j'ai décidé de me joindre à eux. Et puis, je me disais que ça ne pouvait pas être pire que de rester seul à la maison un soir de Saint-Jean. J'ai pensé inviter Marianne, mais j'ai changé d'idée. Je ne la voyais pas bien dans ce genre de party.

J'étais le « chauffeur désigné » parce que plusieurs avaient commencé à boire vers midi. Ça ne me dérangeait pas. Depuis que j'avais mon permis, ça m'arrivait souvent d'aller reconduire ceux qui, trop soûls ou trop innocents pour s'en rendre compte, s'en allaient prendre le volant comme des caves. Au moins, cette fois-là, tout le monde passerait la nuit au chalet, donc il n'y aurait pas un épais qui essaierait de s'en aller après avoir trop bu.

Sébas devait prendre son auto, mais à la dernière minute, il a décidé d'embarquer avec moi, vu qu'il y avait plus de place dans mon auto. On est allés chercher Julianne à la fin de l'après-midi. En arrivant au chalet, on s'est fait des hot-dogs. Puis, ceux qui n'étaient pas dans le band ont monté leur tente, les chambres du chalet étant réservées pour les musiciens. On était environ une trentaine, peut-être plus. Les voisins étaient pas mal loin, mais la musique était tellement forte que j'étais surpris qu'ils ne se plaignent pas.

Pendant la soirée, Sébastien avait quasiment l'air d'un chum ordinaire avec Julianne. Si je ne l'avais pas connu, j'aurais pensé que c'était un couple normal, probablement amoureux. Il l'embrassait presque continuellement, au point où je me demandais s'il ne faisait pas exprès pour me le mettre en pleine face. Il se collait contre elle, lui jouait dans les cheveux. Tout le monde buvait : de la bière, de la vodka, du Jack. Julianne avait l'air de commencer à être soûle, et quand Sébastien l'a entraînée dans le bois, elle s'accrochait à lui. J'imaginais trop bien ce qu'il était en train de faire, et j'essayais de ne pas y penser. Un peu plus tard, ils sont revenus, main dans la main. Julianne regardait Sébas avec des yeux brillants et elle continuait de boire. Puis, elle s'est mise à danser avec d'autres filles. Les gars les regardaient, moi, je voyais juste elle. Belle. J'étais fasciné par son corps près du feu, elle avait l'air ailleurs, comme si elle flottait, et j'aurais voulu l'embrasser, la prendre dans mes bras. Mais Sébastien s'est approché d'elle, l'a prise par la main et l'a entraînée dans le chalet. Elle l'a suivi avec un trop grand sourire. Je suis resté au bord du feu et j'ai pris ma deuxième bière. Si j'avais pu, je pense que j'aurais pris quelque chose de plus fort. J'avais vraiment, mais vraiment envie d'un joint bien solide, mais bon. Je suis resté là à déprimer à la place.

Même si c'était une belle soirée, il y avait pas mal de monde en dedans où plusieurs faisaient un concours de *shooters* en écoutant de la musique assourdissante. C'était surtout des gars qui étaient là, mais les jupettes aussi, ce qui n'était pas surprenant. Près du feu où j'étais, quelques couples s'embrassaient, d'autres jasaient, et j'avais vraiment l'impression de ne pas avoir affaire là. Je me demandais pourquoi j'étais venu. Pour voir Julianne? Pour avoir une autre preuve qu'elle ne voulait rien savoir de moi? Quelqu'un jouait de la guitare, d'autres chantaient. Moi, je regardais le feu et j'étais comme hypnotisé. J'ai fini par tomber dans la lune et j'étais bien, au fond : je ne pensais à rien et je laissais la soirée passer.

Un gars que je ne connaissais pas vraiment est sorti du chalet presque en courant et m'a tiré de la lune d'un coup sec en criant, énervé :

— Hey, y a des affaires pas correctes qui se passent en haut dans le chalet. Sont malades, faut faire quelque chose !

Un mauvais pressentiment m'a tordu l'estomac. Quand je suis entré dans le chalet, c'était étrangement calme. J'ai croisé quelques personnes qui en sortaient. La plupart avaient l'air dégoûté, d'autres regardaient par terre, comme s'ils étaient gênés. J'entendais toutes sortes de commentaires du genre :

— Gang de débiles, *man*, j'savais qu'ils étaient fuckés, mais pas tant que ça !

— Je sais pas, j'ai rien vu, juste qu'y avait plein de gars à la porte...

Une fille a dit :

— Faudrait appeler la police !

Un autre a répondu :

— T'es folle ? On est une gang de jeunes, presque tout le monde est soûl, y a d'la dope, ils vont juste tous nous embarquer !

J'ai paniqué en essayant de savoir ce qui se passait. Puis, je suis arrivé en haut. Un paquet de monde était au bord de la porte de la chambre du fond à regarder, sans rien faire. Je me suis approché, j'ai tassé plusieurs personnes pour entrer dans la chambre et j'ai vu. Julianne était nue sur le lit, elle avait l'air dans les pommes. Qu'est-ce qu'ils attendaient pour bouger, gang d'épais ? Je me suis précipité près de Julianne pour être certain qu'elle respirait. Oui, c'était déjà ça. Ça puait l'alcool, le lit était trempé autour d'elle et je ne voulais pas penser ni vraiment savoir ce qui s'était passé. Je voulais juste faire quelque chose, n'importe quoi, pour aider Julianne. Je ne voulais pas regarder son corps, profiter du fait qu'elle était nue pour me rincer l'œil. De toute manière, ce n'était pas tellement excitant. Elle avait les jambes écartées, les bras étendus de chaque côté, et j'ai deviné qu'elle avait été attachée à cause des marques rouges sur ses poignets. Même si je ne voulais pas regarder, j'ai vu qu'elle avait d'autres marques rouges ailleurs, au visage, sur son corps. Pas de sang, au moins.

Je me suis dépêché de la recouvrir avec le couvre-lit. Je me suis retourné vers ceux qui étaient encore là et je leur ai demandé ce qui s'était passé. Un gars m'a dit :

— Je sais pas exactement. On a vu les filles entrer ici avec Sébas pis son bassiste. On sait que ça brasse souvent, avec eux autres, on s'en occupait pas. Mais un moment donné, y avait plein de monde devant la porte qui regardait, d'autres qui entraient et sortaient de la chambre. J'pense que c'est comme une orgie qui a mal reviré, je sais pas trop...

— Moi j'ai vu deux gars sortir en rattachant leurs jeans. Ils disaient : « *Man*, c'était hot, comme dans un film de cul ! Un après l'autre ! On était une gang ! »

Je voulais pas en entendre plus, j'allais vomir. Quelqu'un m'a donné les vêtements de Julianne et j'ai claqué la porte de la chambre. Elle gémissait, et ça m'a un peu rassuré qu'elle soit au moins un peu consciente. J'essayais de réfléchir, mais je n'y arrivais pas. Je me demandais si je devais appeler la police, mais je savais que tout le monde allait paniquer. Que j'aie eu raison ou pas, j'avais juste une idée en tête, plus précise que le reste : la sortir d'ici.

J'ai pris Julianne dans mes bras. J'ai descendu l'escalier pour sortir de ce maudit chalet où je n'aurais jamais dû venir, et tout le monde s'est poussé de mon chemin. Ils m'ont fait penser à des coquerelles qui fuient la lumière. Curieusement, je n'ai pas vu Sébas ni Yannick. J'imagine qu'ils étaient occupés ailleurs. Une chance que je ne les ai pas vus parce que je pense que je leur aurais cassé la gueule. Je ne savais pas exactement ce qui s'était passé, mais j'en avais au moins une vague idée et je savais qu'ils étaient impliqués. J'ai installé Julianne dans mon auto et je suis parti. Je ne me suis même pas demandé comment les autres reviendraient le lendemain. Ce n'était pas mon problème. Quant à moi, si ce que je pensais était vrai, c'était en prison qu'ils devraient aller.

Après avoir roulé deux ou trois minutes, je me suis rendu compte que je n'avais pas la moindre idée de ce que je devais faire. Mon premier instinct était de conduire Julianne à l'hôpital. Ça me semblait évident, la seule chose à faire. Sauf que je ne savais pas si je pouvais prendre ce genre de décision à sa place. Je ne la pensais pas en danger et elle n'avait pas de blessure grave apparente. Elle respirait normalement et gémissait de temps en temps. Je ne savais pas si elle était inconsciente ou seulement partie à cause de l'alcool. Je n'en savais pas assez sur ce qui s'était passé, non plus. Qu'est-ce que je dirais aux infirmiers ? Qu'elle avait été violée ? Qu'est-ce que j'en savais, au juste ? Après plusieurs longues minutes d'hésitation, j'ai finalement décidé de l'emmener chez moi et de voir ce qu'elle voudrait faire en se réveillant.

Je l'ai installée dans mon lit et j'ai essayé de l'habiller sans la regarder, sans la toucher plus qu'il le fallait ni lui faire mal. J'ai abandonné l'idée de lui mettre ses jeans, mais j'ai réussi à lui mettre une paire de mes joggings et un de mes t-shirts. Pas facile, habiller quelqu'un dans cet état. Faut dire que mes mains tremblaient, ce qui me rendait la tâche encore plus compliquée. C'est seulement là que je me suis rendu compte que j'étais pas mal à l'envers. Je faisais de mon mieux pour écarter toutes les images laides qui me venaient en tête, toute la colère qui menaçait de m'étrangler aussi. Oui, la colère était étouffante et pas juste à cause de mes sentiments pour Julianne. Personne ne méritait ce qui lui était arrivé, peu importe ce que c'était dans les détails. Ça me révoltait et j'imagine que c'est surtout le sentiment d'impuissance qui me faisait trembler. Je n'avais rien pu faire pour la protéger, et là, je ne savais pas quoi faire pour l'aider.

* * *

Julianne a dormi pour le reste de la nuit. Moi, j'ai somnolé sur le sofa, mais je n'ai pas vraiment dormi. Je ne savais pas si j'avais bien fait de l'emmener ici. Je m'en voulais de ne pas être allé à l'hôpital ou à la police. En plus, je m'inquiétais, je voulais la surveiller, être certain qu'elle était en sécurité. Au petit matin, je me suis installé par terre, à côté de mon lit, et toutes les demi-heures environ, je m'assurais qu'elle respirait toujours normalement, que tout était relativement OK. J'avais peur qu'elle ait une commotion cérébrale ou quelque chose du genre. J'avais entendu dire que dans ces cas-là, il ne fallait pas que la personne dorme et ça me stressait. Je me suis dit que si elle n'était pas réveillée vers huit ou neuf heures, j'irais demander à ma mère de m'aider. Vers sept heures, je me suis levé et j'ai fait du café que je suis allé boire dehors, pour penser à ce que je devais faire. Je venais juste de m'asseoir quand, en regardant par la fenêtre, j'ai vu que Julianne s'était un peu soulevée sur un bras. Elle avait les yeux ouverts et l'air inquiète. Non, pas inquiète. Elle avait l'air au bord de la panique.

Je suis rentré et je lui ai souri avant d'aller lui chercher un café. Je ne savais pas où me mettre, j'étais super mal à l'aise. Comme elle avait l'air vraiment confuse, je lui ai dit :

— On est chez moi. Je t'ai ramenée hier soir. J'ai pensé que c'était la meilleure chose à faire, la seule que je pouvais faire, en tout cas.

— J'ai tellement mal à la tête...

Dans son visage, j'ai vu que tout lui revenait. Comme un coup de poing. Ses épaules se sont soulevées, elle s'est pris le ventre et j'ai pensé qu'elle allait vomir. Je suis allé chercher une chaudière, mais rien n'est sorti. Elle avait des spasmes, serrait ses bras autour de son corps. Elle était en sueur et tremblait. Elle s'est mise à pleurer. J'étais plus mal à l'aise que jamais. Tout d'un coup, elle a relevé la tête brusquement et m'a dévisagé, comme si elle essayait de lire dans mes yeux ce qui s'était passé, mais je ne pouvais pas l'aider.

J'ai eu peur qu'elle se demande si j'avais participé à ce qui était arrivé et j'ai essayé de la rassurer en soutenant son regard. Je savais pas quoi faire d'autre ni quoi dire. Puis, elle est devenue comme hystérique. Elle pleurait, elle criait, elle tremblait, c'était l'horreur. J'ai essayé de la prendre dans mes bras, mais elle m'a repoussé. Elle se débattait comme si elle revivait quelque chose d'épouvantable, ce qui était sans doute le cas. Au lieu de la lâcher, je l'ai serrée plus fort et elle a fini par se laisser faire. Je l'ai bercée, elle s'est calmée un peu.

Quand j'ai senti qu'elle était un peu plus calme, je suis allé lui chercher de l'eau et des pilules pour le mal de tête. On est restés là un peu sans rien dire et j'ai fini par être capable de lui demander :

— Qu'est-ce que tu veux faire, Julianne ? Je pense qu'il faudrait appeler la police. Je pourrais rester avec toi et dire ce que je sais, même si c'est pas grand-chose. Tu peux compter sur moi, me demander n'importe quoi.

Elle n'a rien dit pendant quelques secondes et je voyais qu'elle ne savait pas du tout quoi faire, elle non plus. Finalement, elle m'a dit, d'une toute petite voix :

— J'aimerais ça prendre une douche... Après, je saurai peut-être.

Je lui ai donné une serviette et ses vêtements en lui disant que je pouvais lui prêter d'autres joggings et un autre t-shirt si elle préférait, mais elle a refusé.

Elle est restée là tellement longtemps que ça m'a inquiété. Au bout d'une vingtaine de minutes, je lui ai demandé si tout allait bien. Quand elle m'a répondu que oui, je lui ai dit de prendre son temps, mais j'étais loin d'être sûr qu'elle allait si bien que ça. Dans sa voix, c'était clair qu'elle pleurait. Je me sentais totalement inutile.

Elle a fini par sortir, elle a ramassé ses affaires et s'est préparée à partir. Je ne pouvais pas la laisser s'en aller comme ça :

— Julianne, attends, je vais aller te reconduire où tu veux, chez toi, à l'hôpital ou à la clinique, n'importe où, t'as juste à me le dire !

— Merci, Fred, mais j'ai besoin de marcher un peu.

— J'ai de la misère à te croire. Me semble que c'est pas une bonne idée !

Il y avait tellement de douleur dans ses yeux que je n'ai pas pu continuer. Je ne pouvais pas la forcer, mais elle n'avait certainement pas envie de s'obstiner avec moi. Elle m'a regardé une dernière fois et m'a dit un « merci » tellement doux que je l'ai à peine entendu. Je me suis contenté de serrer sa main doucement et de lui répéter que j'étais là, si je pouvais faire quelque chose.

Puis, elle est partie.

J'ai tourné en rond le reste de l'avant-midi, j'étais tout mélangé. J'avais vraiment envie de dénoncer Sébastien, Yannick et tous les autres pour ce que je savais qu'ils avaient fait. Ce que je devinais, en fait. Je n'en savais pas assez pour faire quoi que ce soit de concret. Et de toute manière, ce n'était pas moi, la victime, donc je ne pouvais rien faire à la place de Julianne. J'espérais qu'elle change d'idée, qu'elle leur fasse payer, mais j'en doutais. Ce qui s'était passé me dégoûtait complètement, c'était même pire que ce que j'avais déjà ressenti pour mon père. Je n'arrivais pas à croire que des gars et des filles avec qui je me tenais avaient pu descendre aussi bas. C'était l'alcool qui les transformait en animaux ? La dope ? Le fait d'être en gang et de regarder tellement de vidéos pornos que ce genre d'affaires était devenu normal ? J'avais souvent vu combien il était facile pour un con de contrôler une gang d'innocents, surtout quand ils n'étaient pas straights. Que du monde se fasse influencer à faire des conneries, OK. Mais de là à violer une fille ? Ce n'était pas la même chose. Et j'étais convaincu que c'était vraiment ça qui était arrivé. Il n'y avait pas d'excuse possible. Julianne n'aurait jamais accepté de coucher avec plusieurs personnes ; elle ne se serait pas ramassée dans cet état-là si elle avait été d'accord. Elle n'aurait pas fait ça, même pour Sébastien, j'en aurais mis ma main au feu.

Julianne avait trop bu, ça, je le savais, je l'avais vue. C'était trop facile d'imaginer qu'ils l'avaient forcée à continuer de boire jusqu'à ce qu'elle ne soit plus capable de se défendre. Et là, si elle ne s'était pas défendue, c'était assez pour que des serpents gluants comme Sébas et Yannick fassent le reste. Je n'aurais pas été surpris que les jupettes aient quelque chose à voir là-dedans elles aussi.

J'avais honte de m'être tenu avec du monde de même, honte de les connaître, mais surtout honte de ne pas avoir été capable d'empêcher ça. Je m'en voulais de ne pas être allé voir ce qui se passait avant, de ne pas avoir pu sauver Julianne de ça avant qu'il soit trop tard et je n'arrivais pas à comprendre que personne d'autre, PERSONNE, n'ait réagi plus tôt. Maudite boisson. Maudite dope. Maudits cons.

Mon téléphone s'est mis à vibrer. Sébas me textait : « T'es où ? », « Viens nous chercher, *man* ! », « On sait que t'es parti avec Julianne, mais là, on est à pied ! » Incroyable. Il pensait vraiment que j'irais les chercher, que je dirais, genre : « Ouain, Julianne filait pas trop trop, je l'ai ramenée et j'ai oublié d'aller vous chercher » ? Pour VRAI ? J'ai hésité un peu avant de répondre. Trop de commentaires violents me passaient par la tête. Je ne pouvais pas croire qu'il était aussi con. J'ai regardé mon cell un instant et j'ai répondu juste deux mots : « Va chier. » Je pensais bien qu'il comprendrait ce que je voulais dire. Et là, comme j'avais toujours une clé de sa maison, je suis allé chez lui chercher mon drum.

CHAPITRE 12

ZigZog

J'ai essayé de rejoindre Julianne plusieurs fois au cours du mois suivant sans qu'elle retourne mes appels. J'étais déçu, mais je comprenais. Je suis allé voir Sébas quelques jours après le party pour lui dire que je lâchais ZigZog, qu'il le dise aux autres. Il n'a pas eu l'air surpris. Il m'a juste dit :

— C'est toi qui manques de quoi. T'es trop straight pour nous autres, anyway. En plus, c'est évident que tu tripes sur Julianne. J'imagine que t'es fru de ce qui s'est passé au party.

— Fru ? Tu penses que je suis fru de ce que vous avez fait parce que je tripe sur elle ? Non, Sébas, je suis pas fru. Je suis écoeuré. Si c'était juste de moi, j'aurais été voir la police. Tu réalises même pas, hein ? Vous l'avez violée, gang de malades !

— Wô, les accusations. Elle était exactement où elle voulait être ce soir-là. Si elle avait pu, elle en aurait demandé encore... T'es juste déçu d'avoir manqué ta chance.

Mon poing est parti avant que je le contrôle. Il s'est écrasé sur le visage de Sébastien qui a été trop surpris pour réagir. Il s'est mis à saigner du nez et j'ai trouvé ça cool. Je lui en ai donné un deuxième et je voulais continuer jusqu'à ce qu'il s'excuse. Ça allait être long, je le savais, mais j'étais pas pressé. La satisfaction que je ressentais quand ça frappait était incroyable, comme si je m'étais retenu pendant des années. C'était sur Sébas que je tapais, mais il était aussi mon père. Paf. Yes.

Malheureusement pour moi, son frère nous a entendus et est venu voir ce qui se passait. Sébastien s'est relevé et a dit :

— C'est beau, Fred partait, justement.

Il m'a jeté son maudit regard arrogant et rien ne m'aurait fait plus plaisir que le frapper encore. Mais je ne voulais pas me prendre contre deux gars, même enragé comme je l'étais. Sa joue et son nez commençaient déjà à enfler, alors je me suis contenté de ça.

De toute façon, je ne voulais plus le voir.

* * *

J'ai passé le reste de l'été à travailler. J'ai essayé d'avoir des nouvelles de Julianne, mais elle ne retournait jamais mes appels. J'étais déçu, inquiet et j'ai même essayé d'aller la voir chez elle quelques fois, mais elle n'y était pas.

Je ramassais mon argent, je pratiquais. Chez nous, ça se passait bien. Mes parents avaient l'air de bien s'entendre, ils avaient l'air d'un couple normal même si mon père n'arrivait toujours pas à me regarder dans les yeux comme s'il était gêné. Ça ne me dérangeait pas. Je n'étais plus vraiment enragé contre lui, mais je ne tenais pas à être «proche» non plus. Ma mère continuait à me faire de petits cadeaux de temps en temps : des carpettes, des décorations, des soupers que j'avais juste à faire réchauffer quand je finissais de travailler. C'était correct, comme vie.

Au mois d'août, juste avant que le cégep commence, j'ai eu un appel de Jérôme. Il voulait que je dépanne ZigZog en jouant pour eux pendant quelques semaines. Ils avaient trouvé un gérant qui leur avait organisé des shows et qui pouvait les *booker* plus régulièrement dans des festivals, mais ils n'avaient pas encore de nouveau batteur, et comme je connaissais déjà toutes les chansons...

— Es-tu malade, Jé ?

— Crois-moi, si y avait eu d'autres options, Sébas m'aurait pas demandé de t'appeler... Moi non plus, j'ai pus trop envie de jouer avec ces gars-là après ce qui s'est passé au chalet.

C'était la première fois que Jérôme mentionnait cette maudite soirée. Je n'ai pas pu m'empêcher de lui demander :

— Tu le sais, toi, ce qui est arrivé, au juste ?

— ...

Il ne répondait pas. C'était probablement parce

qu'il en savait plus qu'il voulait le dire. J'ai essayé de le faire parler :

— As-tu revu Julianne ? J'ai essayé de lui parler, mais j'ai pas réussi.

Il a hésité, je l'entendais respirer. Finalement, il a dit :

— Oui, je l'ai vue, par hasard. Elle a changé… a fait dur…

— Comment ça, a fait dur ?

J'avais mal au ventre. Qu'est-ce qu'il ne me disait pas ?

— Je sais pas, *man*. Juste qu'elle s'habille tout croche, a s'arrange pus, elle fait peur. Je sais pas si ça a rapport avec ce qui est arrivé, je sais pas grand-chose, en fait…

— T'étais où, toi, pendant ce temps-là, au fait ? Je t'ai pas revu au chalet.

— Écoute, c'est du passé, c't'affaire-là. Tout ce que je sais, c'est que Sébas pis Yannick peuvent être cons, mais ils peuvent aussi faire de quoi de bon avec le band. C'est assez pour moi. Je m'occupe pas d'eux autres, je me tiens pas avec eux en dehors du band, pis c'est beau comme ça. T'embarques ou pas ?

J'hésitais :

— Mais vous avez pas de chanteuse non plus !

— Pas grave, le gérant sait qu'on en cherche une, mais il veut quand même entendre comment le band sonne. En attendant, on va faire les tounes que je chante. *Come on,* Fred, c'est juste pour un mois, max. Le gars a parlé de trois petits shows.

Je n'en avais vraiment pas envie. Par contre, le gérant en question connaissait peut-être un autre band qui avait besoin d'un batteur, et c'est seulement ça qui m'a fait accepter, à la condition qu'on ne fasse pas de pratiques inutiles. Je ne voulais pas voir la face de Sébas et j'imaginais qu'il ne voulait pas trop voir la mienne non plus.

Pour le reste, je ne savais pas trop quoi penser, mais je n'allais pas me poser des questions pendant des jours. Si Jérôme avait quelque chose à me dire, il me le dirait un moment donné. Sinon, tant pis. Ce n'était pas évident et je branlais dans le manche. Je voyais des bons et des mauvais côtés à accepter ou non. Au fond, pour le band, Jérôme n'avait pas tort, et c'est ça qui a fini par me décider. Ça pourrait marcher.

* * *

J'aimais pas mal ça, le cégep. Je me suis habitué assez vite au beat et à mon horaire. J'ai commencé à donner des cours de drum chez moi et j'avais déjà six élèves par semaine, ce qui était quand même assez payant et m'a permis de lâcher finalement le resto. Je travaillais encore au magasin de musique la fin de semaine, avec ça j'arrivais à payer mes affaires sans avoir besoin de mes parents.

Au début de l'automne, on a fait une pratique de band, juste une, et je me suis demandé si je serais vraiment capable de continuer à jouer avec eux. Ils me dégoûtaient. Sébas m'ignorait ; pas une fois il ne m'a regardé dans les yeux. Ça m'allait. Yannick, lui, se foutait carrément de moi, mais ça faisait pas changement, il était tout le temps comme ça. Un bassiste qui se fout du batteur, c'est pas fort, mais au moins, il me suivait, on était *tight* malgré tout. Un miracle.

Jérôme, lui, était gelé. Ce n'était rien de nouveau, mais je sentais qu'il avait changé. Il était probablement juste mal à l'aise, mettons que l'ambiance était pas fameuse. Quelques fois, j'ai senti qu'il aurait voulu me parler ; ça n'a pas adonné et on a continué à pratiquer.

On a fait un premier show pour le gérant. Le gars avait l'air de savoir de quoi il parlait. J'ai eu le temps de lui jaser un peu, de lui expliquer que je voulais changer de band. Quand il m'a demandé pourquoi, j'ai juste dit que c'était personnel. Il n'a pas insisté et m'a répondu qu'il me tiendrait au courant s'il entendait quelque chose. En attendant, il voulait qu'on joue dans deux autres salles. La première serait la maison des jeunes de la ville, pour le spectacle de Noël. Il s'arrangerait pour faire venir du monde qui pourrait nous engager pour des partys de compagnie, des fêtes publiques et des festivals. On serait payés, en plus. Je n'aurais pas pu demander mieux!

Tout de suite après le premier set, le gérant a confirmé ce qu'on savait déjà : avec une chanteuse, ça serait plus facile de *booker* le band. Moi, ça m'a rappelé à quel point on sonnait bien. C'est à ce moment-là que j'ai décidé de me servir d'eux autant qu'ils se servaient de moi. Si je restais dans le band et qu'on faisait des spectacles, j'avais plus de chances de me faire remarquer par d'autres musiciens. L'expérience que je prendrais serait utile aussi et prouverait que j'étais assez pro pour jouer n'importe où. Sans compter que, selon l'agent, ce genre de show était assez payant.

Mon attitude a changé. J'étais moins pressé de lâcher le band, tout à coup, même si de voir Sébastien et Yannick m'écœurait toujours autant. Je verrais combien de temps je pourrais les endurer sans avoir envie de leur sauter à la gorge.

Personne ne connaissait de chanteuse potentielle. D'ailleurs, si j'en avais connu une, je lui aurais conseillé de se sauver en courant. Je ne souhaitais à aucune fille de se frotter de trop près à Sébas, mais en même temps, je voulais qu'on en trouve une pour continuer à jouer. J'ai donc laissé les gars du band s'arranger avec ça. Ils ont décidé de mettre des annonces dans les écoles secondaires. Je leur ai dit que j'en mettrais une au cégep pour avoir l'air de participer aux recherches, mais j'ai comme « oublié » de le faire.

Une semaine plus tard, Jérôme m'a encore téléphoné pour me demander de jouer pendant les auditions. Ils avaient quelques chanteuses à essayer, mais ce n'était pas évident sans drummer. J'ai dit OK, tant que ça ne dérangeait pas mes cours ou ma job.

Les deux premières chanteuses étaient correctes, mais pas exceptionnelles. Elles essayaient trop, je trouvais. Et puis, elles n'avaient rien d'original. Elles copiaient bien, mais n'avaient pas leur style à elles. Après, Sarah-Jeanne est arrivée.

Pour moi, ça a été un coup de foudre. Solide.

CHAPITRE 13

Sarah-Jeanne

Ce n'est pas juste sa beauté qui m'est rentrée dedans comme si j'avais reçu un coup de poing. Ça aurait été assez… ses grands yeux, son sourire un peu crispé – c'était évident qu'elle était nerveuse et intimidée, mais elle faisait de gros efforts pour le cacher. Elle souriait et je ne voyais rien d'autre. Comme un p'tit niaiseux, quand elle m'a regardé, j'ai comme arrêté de respirer, mais je pense que je lui ai rendu son sourire. Moi aussi, j'ai fait de gros efforts pour que rien ne paraisse, mais elle a dû me trouver bizarre. C'était comme si je manquais d'air, comme si le temps s'était arrêté.

Après, elle s'est mise à chanter et je n'entendais rien d'autre, je ne voyais rien d'autre. J'essayais de me concentrer, mais je ne pouvais pas m'empêcher de la regarder. Elle avait les yeux fermés, elle se donnait complètement à la chanson, et c'était… parfait. Je voyais bien que les autres gars aussi étaient sous le charme. Mais elle était jeune. On savait qu'en annonçant à l'école, on aurait des filles plus jeunes que nous mais j'espérais que ça ne jouerait pas contre elle. Je dis jeune, mais ce n'était quand même pas si pire. Elle devait être nouvelle à l'école parce que je ne la connaissais pas et il me semblait que je l'aurais remarquée. Secondaire quatre? Cinq? Dur à dire. Moi, je m'en foutais. On n'allait pas jouer dans des bars tout de suite et puis la plupart des filles sont facilement capables de s'arranger pour avoir l'air plus vieilles que leur âge.

Sa voix... wow. Pas super puissante, pas toujours exactement juste, mais c'était ça qui la rendait encore plus surprenante. Elle était comme... vraie. On sentait qu'elle ne faisait pas juste chanter, elle *était* la chanson, elle la possédait. Elle ne devait pas avoir beaucoup d'expérience. Elle nous a dit qu'elle avait déjà chanté dans des bands, qu'elle avait fait des shows, mais je me doutais que c'était sûrement *très* amateur. Pas grave. Elle avait tout ce qu'il fallait, et je ne me posais plus du tout de questions à savoir si je voulais continuer à jouer pour le band ou non. Avec elle comme chanteuse, j'aurais joué dans n'importe quel band.

Après son audition, on a parlé, et c'était clair que Sébastien était d'accord pour l'engager même s'il n'a pas voulu le lui dire tout de suite. Il nous a fait accroire que c'était parce qu'il voulait être sûr qu'on était tous d'accord, mais il était comme ça, Seb. Tout ce qu'il voulait, c'était la faire attendre, espérer, rêver, il voulait se sentir important. Finalement, il lui a téléphoné le lendemain pour lui dire qu'on voulait qu'elle se joigne à nous. Quand j'ai su qu'elle avait dit oui, je me suis mis à sourire comme un con.

À la pratique, la semaine suivante, j'ai bien vu que ce n'était pas juste dans ma tête. Sarah-Jeanne m'a fait autant d'effet que la première fois, sinon plus. Elle ne s'était pas contentée d'apprendre toutes les chansons qu'on lui avait demandé, elle avait mémorisé presque la moitié de celles sur notre liste et chacune sonnait vraiment bien. Plus je la regardais, plus je tripais sur elle. Tout en elle me plaisait. Elle ne portait pas beaucoup de maquillage ; elle devait être assez intelligente pour savoir qu'elle n'en avait pas besoin. J'aimais beaucoup aussi sa façon de s'habiller. Ce n'était pas une jupette : elle avait son style à elle, super cute sans être ridiculement sexy, juste correcte. Ses cheveux avaient l'air doux, ses yeux brillaient. Elle nous a dit qu'on pouvait l'appeler Saja. Je trouvais que ça lui allait bien, mais j'aimais mieux Sarah-Jeanne.

Les trois agaces étaient là, comme d'habitude, mais elles nous ont laissés pratiquer tranquilles et ne sont revenues que plus tard. Après la pratique, on est allés relaxer dehors et j'espérais avoir la chance de jaser avec notre nouvelle chanteuse pour apprendre à la connaître un peu. Elle était un peu à l'écart et avait l'air gênée, alors je suis allé la voir. On a parlé.

Elle m'a posé des questions sur le band, et j'essayais de lui répondre intelligemment sans bégayer ou avoir l'air trop cave. J'étais presque en train d'oublier à quel point Sébas et Yannick étaient cons jusqu'à ce que Sarah-Jeanne veuille savoir ce qui était arrivé avec notre dernière chanteuse. Là, Sébas s'est dépêché de répondre, disant qu'elle ne savait pas ce qu'elle voulait, qu'elle était « une girouette ». Je n'ai pas pu me retenir et j'ai dit :

— Tu te trompes, Sébas, elle savait *exactement* ce qu'elle voulait... et encore plus ce qu'elle voulait pas !

J'ai bien vu Sébas serrer les poings et me regarder avec des couteaux dans les yeux. Je l'ai regardé de la même façon. Alissia a essayé de détourner la conversation, mais il y avait un malaise, et je suis sûr que Sarah-Jeanne l'a senti. Julianne... Je l'avais enfin vue la veille de la pratique. Elle travaillait au restaurant de sandwichs à côté de la station-service. Il m'avait fallu un moment avant de la reconnaître. Ses cheveux étaient courts et coupés n'importe comment, elle n'était pas maquillée, elle avait l'air malade. J'étais allé la voir et j'avais essayé de lui parler, mais elle m'avait juste regardé sans rien dire, ses yeux remplis de douleur. Tout ce que j'avais pu faire était lui dire qu'elle pouvait me téléphoner si elle le voulait, quand elle le voulait, s'il y avait quelque chose que je pouvais faire. Son regard... ça m'avait vraiment fait quelque chose. Il y avait tout dedans : de la colère, de la tristesse, de la douleur, du désespoir, même. Encore une fois, je m'étais senti complètement inutile, et ma rage envers Sébas et Yannick était montée, plus forte que jamais. Mais je m'étais forcé à la ravaler, et c'était un peu plus facile parce que maintenant, il y avait Sarah-Jeanne... Ça, c'était cool.

Un peu plus tard, ce même soir-là, j'ai eu une autre belle occasion de parler à Sarah-Jeanne. Alissia s'était mise à se coller sur Sébas, et les deux autres se frottaient sur Yannick comme deux agaces. Je les trouvais ridicules. Jérôme était dans la maison et Sarah-Jeanne était toute seule. Elle avait l'air mal à l'aise. J'en ai profité et je suis allé m'asseoir avec elle.

Elle a eu l'air soulagée. Je lui ai demandé ce qu'elle pensait des pratiques. Elle a pris une gorgée de bière avec une petite grimace – elle n'avait pas l'air d'aimer le goût, un autre bon point pour elle ! – et m'a répondu qu'elle était super excitée, qu'elle avait vraiment hâte au spectacle à la maison des jeunes et à ceux qui viendraient après. Puis, elle m'a demandé :

— Ça fait longtemps qu'ils sont ensemble, Alissia et Sébas ?

J'ai senti mon estomac se transformer en roche. La façon dont elle avait regardé Sébastien en me posant cette question-là, j'avais déjà vu ça. Encore une fois, c'était évident que la belle fille qui m'intéressait triperait sur le sale con et que je n'avais aucune chance. Fuck. Je n'avais rien à perdre, alors je lui ai dit la vérité :

— Oh! Deux ou trois semaines. Ça durera probablement pas, ça ne dure jamais bien longtemps avec Sébas... ni avec ces trois-là, en fait. Avant, Sébas était avec Annie-Jade, et avant ça avec Alex, je sais plus trop dans quel ordre, je les mélange, et lui aussi, probablement !

J'exagérais à peine. J'avais du mal à croire que j'avais pu être amoureux d'Alex dans une autre vie. Tout ce qu'elle m'inspirait, là, c'était un sérieux mal de cœur. Je réalisais bien que je parlais contre Sébas, mais je m'en foutais complètement. Si je ne pouvais pas empêcher Sarah-Jeanne de s'intéresser à Sébas, je pouvais au moins essayer de lui faire voir quel genre de gars il était. Elle me dit :

— Je vois. Tu ne les aimes pas beaucoup, on dirait !

— Bof. Pas mon genre. Les filles en mettent un peu trop. Elles n'ont pas grand-chose à dire et, personnellement, je les trouve un peu collantes ! Mais bon, je suis ici pour la musique, rien d'autre. Ces gars-là sont pas vraiment des amis non plus ; je ne suis pas d'accord avec eux sur plusieurs choses. Mais musicalement, on s'entend et c'est ce qui compte pour le moment. Mais il faut que je te dise que je cherche ailleurs, un band qui me ressemble plus. Les gars le savent, c'est pour des raisons personnelles...

J'avais vraiment envie d'ajouter que depuis qu'elle était là, je voulais rester pour toujours, mais je ne l'ai pas fait. Trop gêné. Est-ce que ça aurait changé quelque chose ? Je ne le saurai jamais. Je ne saurai jamais non plus si c'est mon imagination, mais elle a eu l'air déçue quand j'ai dit que je cherchais autre chose. Je voulais le croire, et c'est ce que j'ai décidé de faire. Ça m'a remis de bonne humeur pendant quelques minutes. Par contre, en regardant les filles, j'ai eu peur pour Sarah-Jeanne. Il fallait que je la prévienne, que j'essaie de lui faire voir comment elles étaient, elles aussi. Je les trouvais aussi dangereuses que Sébas, sinon plus. Je lui ai demandé :

— C'est tes amies, les greluches ?

— Ouf, pas vraiment ! Disons qu'elles sont plus amicales depuis que vous m'avez engagée.

— Pfff. Ça ne m'étonne pas. Méfie-toi d'elles. Elles préfèrent sûrement être amies avec toi pour te garder à l'œil. Méfie-toi aussi de Sébas. Sans vouloir parler contre lui, il est parfois imprévisible...

Je voyais qu'elle ne savait pas trop quoi penser. Alors, j'ai décidé de parler d'autre chose, de la faire rire un peu. Je lui ai raconté la fois où sans faire exprès j'ai échappé une baguette et que Sébas l'a reçue sur la tête. Elle a ri, un rire doux, cute. Je l'aurais écoutée rire pendant des heures, mais Sébas a décidé que la soirée était finie. Il a regardé Sarah-Jeanne avec son sourire en coin, et la roche est revenue dans mon estomac. La façon dont elle le regardait, elle aussi… C'était malheureusement trop clair qu'elle avait l'œil dessus et que lui était en train de penser à la façon dont il la prendrait dans sa toile. J'ai offert à Sarah-Jeanne de la ramener chez elle, mais elle était en vélo. Je suis parti avec Jérôme, déprimé. Pourquoi est-ce que c'était toujours la même affaire?

Pendant les semaines qui ont suivi, j'ai pu assister, vraiment comme dans une mauvaise pièce de théâtre, à la façon dont Sarah-Jeanne devenait de plus en plus pâmée sur Sébas et comment il en profitait. Pourquoi est-ce qu'il ne pouvait pas juste la laisser tranquille? Il la complimentait pendant les pratiques et elle devenait toute rouge. Y en avait pas assez des trois fofolles? Apparemment, non. Et Sarah-Jeanne devenait de plus en plus amie avec les jupettes. Combien de temps avant qu'elle en devienne une, elle aussi? Qu'est-ce que les filles avaient toutes à se transformer, à devenir quelqu'un d'autre pour un con comme Sébas? Je ne comprenais vraiment, mais vraiment pas.

Après un bout de temps, c'est devenu évident qu'il se passait quelque chose entre Sébas et Sarah-Jeanne même si je les voyais seulement ensemble pendant les pratiques. Je voyais dans ses yeux à elle qu'elle était complètement amoureuse, alors que pour lui, c'était juste un jeu de plus, une fille de plus à utiliser et à flusher. J'aurais voulu parler à Sarah-Jeanne, lui dire de faire attention, de surveiller ce qui se passait, même de partir pendant qu'il en était encore temps, mais elle aurait pensé quoi ? Que je ne me mêlais pas de mes affaires, évidemment. Le pire, c'est qu'elle ne m'aurait probablement pas cru. Alors, je ne m'en suis pas mêlé même si je me suis promis de la garder à l'oeil. Mais j'enrageais de plus en plus.

Puis, Yannick a commencé à préparer son fameux party d'Halloween. Il en faisait un chaque année et c'était devenu LE party où tout le monde voulait aller.

* * *

Comme l'année précédente, les parents de Yannick avaient décoré la maison et s'étaient donnés à fond. Dans la rue, leur maison attirait l'attention, c'en était presque ridicule. C'était aussi pire en dedans. Toutes les pièces étaient décorées, et on avait aidé Yannick à organiser le sous-sol avec des ampoules noires, des toiles d'araignées, des squelettes, des momies et de fausses pierres tombales un peu partout. Comme la grosse attraction de la soirée allait être ZigZog, on avait installé les instruments dans un coin et accroché des spots. Quand Sarah-Jeanne est arrivée avec Sébastien, toute mignonne dans son costume de chat, elle avait l'air nerveuse. Elle a pris une bière et l'a bue vite, comme si elle ne voulait pas vraiment y goûter, juste se donner un peu de courage.

On a fait un test de son et elle a eu l'air surprise et contente d'entendre sa voix aussi forte et riche avec le *reverb*. Après, on est allés se déguiser. J'avais décidé de m'habiller en espèce de gangster des années vingt, genre Al Capone. Peut-être que ce n'était pas les années vingt, je ne sais pas exactement, mais dans le temps des anciennes autos et des mitraillettes. Je n'ai pas été surpris de voir Yannick en Hells Angels ; il aurait facilement pu passer pour un vrai. Jérôme ne s'était pas tellement cassé la tête et avait mis un kit de vampire, mais pas à la *Twilight*, juste une cape et de fausses dents. Sébastien, lui, en a profité pour faire son show. Il s'était barbouillé le haut du corps et les bras pour avoir l'air sale et plein de sang. Pas de chandail, évidemment. Un pantalon en cuir rouge foncé hyper serré, tellement qu'on voyait un peu trop ce qu'il y avait dedans. C'était tellement son genre. Il s'était mis du crayon noir autour des yeux et deux cornes sur la tête. Il se prenait pour qui, Satan ? Je pense bien. C'était un peu exagéré, je trouvais.

C'était clair que Sarah-Jeanne ne savait pas

vraiment quoi penser du look de son chum, mais qu'elle était impressionnée. Argh. J'ai fait exprès de passer tout près d'elle et de dire, un peu trop fort, probablement :

— Il paraît que, pour certaines personnes, les déguisements sont l'occasion parfaite de montrer leur vraie nature... Prends garde à toi, petit chaton !

J'avais besoin de changer d'air.

Les autres sont arrivés et sans que je m'en rende vraiment compte, le sous-sol s'est rempli. Sébastien se promenait partout avec Sarah-Jeanne, lui présentait plein de monde, lui tenait la main comme s'il avait peur qu'elle se sauve, ce qu'elle aurait dû faire. Il lui souriait en la caressant et en lui parlant à l'oreille, faisait le gars fier de montrer sa blonde, et je la voyais, elle, qui ne touchait plus à terre. Mais ce qui m'enrageait le plus, c'était comment il se frottait sur elle, la prenait dans ses bras, l'embrassait. Elle, elle aimait ça, elle avait l'air fière. De quoi ? D'être le centre d'attention ? D'être le nouveau jouet du plus pourri des pourris ? La soirée s'annonçait pénible.

Une fille en petit chaperon rouge est arrivée. Je me souvenais vaguement l'avoir déjà vue quelque part. C'était clair que c'était une bonne amie de Sarah-Jeanne parce qu'elles se sont sautées au cou comme les filles aiment tellement le faire, comme si elles ne s'étaient pas vues depuis des années. Elles s'étaient probablement vues la veille, mais elles sont de même, les filles. En tout cas, elle avait l'air correcte, cute avec son petit costume. Pas mal plus cute et normale que les trois greluches qui sont arrivées à peu près en même temps. Alissia, Annie-Jade et Alex avaient le même déguisement de bonniche avec une jupe encore plus courte que d'habitude, un tablier et un petit chapeau ridicule. Elles avaient des sandales à talons hauts qui les faisaient avoir l'air de vraies danseuses. Encore une fois, en regardant Alex, je me suis demandé ce qui m'avait pris de sortir avec elle. C'était avant, c'est sûr. Elle n'était pas aussi pire dans le temps. Quand même...

Les filles se dandinaient, marchaient en se déhanchant et en relevant leur jupe pour montrer le string rouge, toutes les trois le même, qu'elles portaient en dessous. Tellement subtil ! Excitant ? Bof. D'autres gars avaient l'air de trouver que oui. J'imagine qu'elles étaient sexy dans le genre site porno, mais moi, je les trouvais plutôt pathétiques.

Elles se sont approchées de Sarah-Jeanne et sans même essayer d'être discrète, Alissia lui a dit :

— Saja ! T'es bien mignonne ! On a essayé de te téléphoner, on voulait t'offrir de te déguiser comme nous, alors on aurait pu être quatre jolies petites bonnes pour ramasser tous les pauvres gars qui seraient tombés sur notre passage ! Pas grave, Jessica a décidé d'être la quatrième. T'inquiète pas, on te laissera ton beau Diable... du moins pour ce soir! Même si on aurait bien envie de le croquer!

Je voyais que Sarah-Jeanne était dégoûtée et c'était tant mieux. Elle s'est contentée de hausser les épaules et de partir avec son amie. Peut-être qu'elle commençait finalement à comprendre à qui elle avait affaire. Au moins ça.

Sébastien m'a fait signe qu'il était temps de faire notre set. Quand j'ai commencé à jouer, je suis tombé, comme toujours, dans une espèce de transe. Je regardais Sarah-Jeanne qui était si belle dans la lumière, qui chantait si bien. Un peu tremblante au début, sa voix s'est stabilisée rapidement et personne ne s'en est rendu compte. On jouait bien, le son était bon et personne n'a fait d'erreur. Les deux dernières tounes étaient incroyables, Sarah-Jeanne était déchaînée, et j'aurais continué à jouer pendant des heures. J'étais mille fois mieux derrière mon drum qu'ailleurs dans ce sous-sol où la plupart du monde me semblait soit stupide, insignifiant ou carrément con.

On a fini et tout le monde criait, applaudissait, sifflait. Un feeling incroyable, même si on était juste dans un sous-sol avec une soixantaine d'amis complètement partis pour la plupart. Pas grave. L'adrénaline coulait à flots, je n'avais pas besoin de bière.

Mais pour me gâcher mon trip, Sébastien s'est approché de Sarah-Jeanne et l'a embrassée devant moi, devant tout le monde, et j'ai *crashé*. Sébastien lui a dit quelque chose à l'oreille et elle l'a regardé avec tellement d'amour que j'ai compris que si je n'avais jamais eu la moindre chance avec Sarah-Jeanne, je ne l'avais plus.

Ils se sont éloignés ensemble et je les ai regardés un moment. Je tremblais presque, tellement j'étais fâché et sûrement jaloux. Sarah-Jeanne buvait des *shooters*, accrochée à Sébas. Elle avait l'air un peu soûle, elle aussi, et son sourire me mettait tout à l'envers. C'était comme un déjà vu de l'enfer. J'aurais voulu que ce soit moi qui la fasse sourire comme ça. Je ne lui aurais fait aucun mal, moi, contrairement à ce que je m'attendais de Sébas. La fille que j'aimais allait souffrir encore une fois, et ce que j'avais essayé de faire pour l'en empêcher ne donnerait rien. Je me sentais nul, inutile, complètement bon à rien, et je me dis qu'il était sûrement temps de partir. Mais à ce moment-là, Sébastien est sorti avec Jérôme, et Sarah-Jeanne est venue vers moi. Son sourire m'a aveuglé au point où je n'ai presque pas compris ce qu'elle me disait :

— Bon show, hein ? C'était trop cool !!!

Elle me parlait, mais j'avais l'impression qu'elle se parlait à elle-même, qu'elle ne se souviendrait plus, l'instant d'après, qu'elle avait dit ça à voix haute. Elle est allée danser et je l'ai regardée. Elle m'a souri, j'ai fondu. J'ai presque eu envie d'aller danser juste parce qu'elle était là, mais je fais trop dur quand je danse, alors j'ai laissé faire. Je l'ai regardée encore et encore.

Elle chantait en dansant, et j'aurais voulu l'entendre, mais la musique était trop forte. Son corps bougeait comme si elle flottait, elle avait l'air plus légère que l'air. Elle a pris un autre *shooter* et elle a continué à danser.

Annie-Jade et Alex faisaient leur propre show sur un divan avec Yannick qui caressait les seins d'une fille, les cuisses de l'autre. Il était clair que ces trois-là allaient disparaître dans une chambre bientôt, et je me disais que ce serait aussi le cas de Sarah-Jeanne et Sébastien. J'avais envie de partir, mais j'étais inquiet pour elle et ça me retenait. Évidemment, si elle décidait de s'enfermer quelque part avec Sébas, je ne pourrais rien faire et je n'étais pas con, je me doutais bien que ça arriverait. En attendant, elle était trop belle pour que je puisse partir et elle buvait trop pour que je sois tranquille. Savait-elle vers quel genre de jeu elle se dirigeait ? Savait-elle à quel point ces gars et ces filles étaient fuckés ? J'étais persuadé qu'elle n'accepterait pas de faire le genre de choses que Sébastien attendait généralement de ses blondes, mais qu'est-ce que je pouvais faire ? Parler à son amie, peut-être ? J'aurais juste l'air du gars qui panique pour rien, qui veut gâcher son fun.

J'ai vu Sarah-Jeanne se diriger vers la salle de bains et j'ai pris mon courage à deux mains. Tant pis si elle ne me croyait pas, au moins, j'aurais essayé de lui faire voir ce qui se passait pour vrai ici. Je l'ai rejointe et quand elle a ouvert la porte des toilettes, on a tous les deux vu Jessica, la quatrième jupette, en train de faire une pipe à un ami de Yannick. Saja a reculé, un peu chancelante, et a foncé dans Alissia qui arrivait derrière elle.

— Tu t'amuses bien, Saja ? Bon spectacle, en passant. Mais tu sais, y a pas que toi en vedette ici ce soir !

Puis, elle a poussé un peu Sarah-Jeanne en déboutonnant sa blouse, et l'autre gars l'a embrassée. Elle a fermé la porte et Sarah-Jeanne est restée plantée là. C'était le moment ou jamais. J'allais lui parler, mais Sébastien m'a tassé contre le mur et m'a regardé dans les yeux :

— Qu'est-ce que tu veux, toi ? Te mêler de mes affaires une autre fois ? Tu peux bien essayer de me sauter dessus encore, mais ce soir, j'ai du back-up, faque dégage, OK ?

Non, je n'allais pas le frapper même si j'en avais vraiment envie. Un gars doit savoir quand il est battu. Pendant que je comptais dans ma tête pour me calmer, j'ai entendu Sébastien qui disait à Sarah-Jeanne :

— Je te cherchais partout...

Il lui léchait les oreilles, la caressait. Quand il l'a entraînée au fond du corridor, une boule fatigante dans ma gorge s'est mise à m'étouffer et j'ai regretté de ne pas avoir tapé sur Sébas la minute d'avant. J'aurais frappé quelqu'un, n'importe qui. Je suis sorti prendre l'air à la place.

Je voulais vraiment me pousser, mais après ce qui était arrivé à Julianne, je ne pouvais juste pas m'en aller et risquer de laisser Sarah-Jeanne vivre quelque chose d'aussi dégueulasse. Impossible. Je savais que Sébas était capable de répéter l'expérience. Seuls, chacun de leur côté, ils n'étaient peut-être pas aussi pires, mais en gang et dans leur état, je savais que tout pouvait arriver et que, comme à la Saint-Jean-Baptiste, personne ne réagirait. Je me suis donc donné encore une heure pour voir si quelque chose allait se passer ou non. Je n'avais plus envie d'être déguisé, alors je suis allé me changer et après, je me suis écrasé dans un fauteuil, tranquille dans un coin. J'ai essayé de relaxer et de me concentrer sur la musique. Il y avait plein de monde, mais je n'avais pas envie de jaser, je voulais être dans ma bulle. C'est drôle combien c'est facile de rester tout seul dans une foule.

* * *

Je n'avais pas réalisé que j'étais aussi fatigué. Je suis tombé comme à moitié endormi. Un moment donné, quelqu'un m'a accroché la jambe et j'ai sursauté. Une bonne demi-heure avait passé. Le sous-sol se vidait tranquillement, tout avait l'air assez normal. J'ai décidé d'aller voir s'il ne se passait pas des choses débiles dans le coin des chambres et, si tout était beau, de défaire mon drum et de décamper.

Il restait environ vingt ou vingt-cinq personnes évachées un peu partout à fumer et boire de la bière. J'ai vu Sarah-Jeanne arriver dans la pièce où j'étais, et mon cœur s'est comme arrêté. Elle avait l'air endormie, elle aussi, son costume était un peu croche, mais elle avait l'air OK. Pas de larmes, pas de panique. Au moins ça. C'était clair qu'elle cherchait Sébastien et je ne comprenais pas trop pourquoi. Je me suis mis à espérer. Peut-être qu'elle avait été vidée après le show et qu'elle s'était juste endormie toute seule quelque part? Je savais bien que ça ne se pouvait presque pas, mais c'était tentant de le penser. Le temps que je me lève pour aller la voir, elle était déjà repartie. Je l'ai suivie de loin et je l'ai vue s'arrêter devant une des portes de chambre d'où on entendait du bruit. Des rires débiles, entre autres.

Je ne sais pas exactement ce qui me poussait à croire ça, mais j'étais convaincu qu'il y avait quelque chose dans la chambre qu'elle ne voudrait pas voir. Dans ma tête, j'ai hurlé à Sarah-Jeanne de ne pas entrer, de continuer et même de s'en aller chez elle, mais évidemment, elle ne m'a pas entendu. Elle a plutôt ouvert la porte. Et là, elle est restée immobile, comme une statue. Je me suis approché, moi aussi, car je voulais être là, près d'elle si elle avait besoin de quelqu'un, et savoir ce qu'elle voyait.

Sébas était couché, tout nu, avec Alex sur lui qui lui versait de la bière dans la bouche et partout sur le lit ; ils riaient tous les deux. Yannick, lui, se relevait d'un divan dans le coin, le jean tout détaché, et aidait Alissia à se redresser. Elle a vu Sarah-Jeanne et lui a dit :

— On dirait que tu n'as pas réussi à satisfaire le pauvre Sébas… Heureusement qu'Alex était là ! J'aurais bien voulu l'aider, mais j'étais comme occupée… désolée !

Sarah-Jeanne ne bougeait toujours pas et j'ai reculé, pas surpris mais déçu pour elle. Je ne savais pas quoi faire, quoi dire. J'ai entendu Sébas lui dire :

— Saja ! Tu dormais ! Je croyais que ça te dérangerait pas que je continue la fête un peu… Tu veux venir te joindre à nous ?

Il a éclaté de rire lui aussi.

Saja a refermé la porte, est allée dans une autre chambre chercher ses affaires et, en sortant, m'a bousculé sans me voir. Je l'ai appelée et j'ai essayé de la retenir par le bras. Elle s'est retournée, et j'ai vu qu'elle était déçue que ce soit moi, juste moi. Qu'est-ce qu'elle avait espéré? Sébas, qui avait peut-être une « explication », une excuse? Fuck.

Elle s'est dégagée. Sans réfléchir, je l'ai suivie et je suis sorti après elle. Je pensais pouvoir la calmer ou lui offrir de la ramener chez elle, au moins. Mais en me voyant, elle est devenue enragée:

— Qu'est-ce que tu veux, Fred? Tu veux rire de la conne qui vient de se réveiller, c'est ça? Tu veux pouvoir aller raconter à Sébas et à tout le monde à quel point j'avais l'air innocente à pleurer comme un bébé? Eh bien! Vas-y! Ça peut pas être pire de toute manière!

— Hey, arrête! Je veux rien savoir de Sébas et de tous les autres, je voulais juste voir comment tu allais...

— Ah oui, vraiment? Eh bien, je vais MAL! Très MAL! Vous me faites tous chier, vous êtes tous malades! Je veux plus rien savoir de vos petits jeux de cons! Allez donc tous vous coucher dans le même lit pour faire vos cochonneries et laissez-moi tranquille!

— Saja... C'est pas vrai, je suis pas comme eux, tu le sais. Je voulais juste t'aider...

— Ne m'appelle pas comme ça! C'est juste mes amis qui m'appellent comme ça! Tu veux m'aider? Bin, si tu veux m'aider, fiche-moi la paix!

Je me sentais comme un ti-cul qui vient de se faire chicaner et encore une fois, je n'ai rien trouvé d'autre à faire que la statue. Pas fort.

CHAPITRE 14

Changement d'air

Je ne pouvais pas laisser les choses comme ça avec Sarah-Jeanne. Pas elle. Elle était trop importante pour moi et je ressentais quelque chose de fort pour elle. Il fallait que je trouve un moyen pour la forcer à m'écouter. J'avais entendu les trois greluches dire qu'elle prenait le même autobus d'école qu'elles et qu'elle descendait au même arrêt. Le lundi après le party, je suis donc allé en auto l'attendre à l'arrêt d'autobus à la fin de la journée. J'étais nerveux. Les jupettes, que tout le monde appelait maintenant les «AAA», pour Alex, Annie-Jade et Alissia, sont descendues avec elle et m'ont vu. Elles m'ont envoyé la main en ricanant. Elles avaient l'air de poules idiotes et je les ai ignorées. Je me suis plutôt dirigé vers Sarah-Jeanne en espérant qu'elle accepte de me parler.

— Salut, Sarah-Jeanne.

— Salut.

— Je voulais juste voir comment tu allais. Je voulais m'excuser pour l'autre soir, je voulais pas…

— Je sais, c'est moi qui devrais m'excuser. Je n'avais pas le droit de te dire ce que j'ai dit, mais j'étais comme pas dans mon assiette…

— Avec raison. Écoute, j'ai appris que tu avais décidé de pas retourner avec le band.

— Déjà! Les nouvelles vont vite!

— Ouais, Alissia a téléphoné à Sébas ce matin, et lui m'a laissé un message. Il voulait que j'essaie de te convaincre de rester.

— Laisse faire, Frédérick. Je te trouve bien correct, mais Sébas sait où j'habite et il a mon numéro de téléphone. Il peut faire ses messages lui-même.

Elle pensait vraiment que j'étais là pour essayer de la convaincre de rester! J'ai répondu le plus vite que j'ai pu:

— Mais je lui ai plutôt dit que je partais, moi aussi, tout de suite.

Elle m'a regardé dans les yeux. Ça paraissait qu'elle était mélangée.

— Pourquoi? Je pensais que tu attendrais qu'ils trouvent quelqu'un d'autre?

— Bin, là, sans chanteuse, il faudra qu'ils arrêtent, de toute façon. Et je suis plus capable d'être avec eux, je les trouve vraiment dégueulasses. Ce que Sébas t'a fait, ça me dérange beaucoup. Il est con. Il veut tout avoir tout le temps et il pense qu'il a le droit de jouer avec tout le monde. On est pas tous comme ça, je voulais juste que tu le saches. Si une fille comme toi s'intéressait à moi, tu peux être sûre que je la traiterais pas de même, moi!

— Oh, je pense que j'ai pas voulu voir certaines choses parce que ça faisait mon affaire. Beaucoup de monde m'ont dit de faire attention, mais j'ai été assez stupide pour penser qu'avec moi, il serait différent...

Wow. Elle disait tout haut ce que j'avais pensé. Sauf que je ne la trouvais pas stupide, juste un peu naïve.

— T'es pas la seule.

— Oui, je sais, il y a eu Julianne...

— T'es au courant?

— Oui, elle m'a tout raconté. Je peux pas croire que j'ai côtoyé du monde capable de faire ça, que je voulais être la blonde de ce gars-là! Je trouve que ce que t'as fait pour elle est vraiment, vraiment bien.

— Non, j'en ai pas fait assez. Si j'avais pu empêcher des choses de se produire, ça aurait été pas mal mieux.

— T'aurais pas pu savoir, Fred.

Non, je n'aurais pas pu, mais j'aurais dû. Toute l'histoire m'est revenue d'un coup et je me suis senti mal. Super mal. J'aurais voulu avouer à Sarah-Jeanne que je n'avais pas été capable de partir du party d'Halloween tant que je n'avais pas été certain qu'elle n'était pas en danger, mais je n'ai rien dit. Je l'ai regardée et j'ai essayé de mettre dans mes yeux toute la sincérité que je pouvais:

— T'as été vraiment extraordinaire ce soir-là...

dommage que ça ait fini comme ça.

— Ça a été le plus beau soir de ma vie jusqu'à ce que le spectacle finisse. C'était... magique. Mais c'est pas assez pour me faire continuer avec eux. Je trouverai bien un autre band...

C'est là que j'ai eu l'idée du siècle. Pourquoi est-ce que je ne partirais pas un autre band avec elle? Je connaissais du monde au cégep, des gars qui cherchaient, eux aussi. Je me trouvais vraiment con d'avoir passé autant de temps à chercher un band déjà formé, alors que j'avais juste à en monter un moi-même. C'était l'occasion parfaite. J'allais m'y mettre sérieusement. Quand j'en ai parlé à Sarah-Jeanne, son sourire m'a fait comprendre qu'elle trouvait aussi que ce n'était pas fou. Ça méritait pas mal de réflexion, mais c'était excitant. Sauf qu'en attendant, j'avais aussi autre chose en tête. Peut-être que maintenant que Sébas n'était plus dans le décor, j'avais plus de chances de m'approcher d'elle?

Il m'a fallu plusieurs jours avant de me décider à inviter Sarah-Jeanne au cinéma. J'ai fini par me dire que je n'avais rien à perdre et que si elle apprenait à me connaître, peut-être qu'elle pourrait s'intéresser à moi. J'avais vraiment peur qu'elle me dise non, mais il fallait que je tente ma chance. Elle me faisait vraiment un effet spécial. Je n'avais jamais ressenti ça pour une fille. Même si j'étais stressé au max, il était temps que j'arrête d'attendre que les choses arrivent toutes seules. J'avais dix-huit ans, et il me semblait qu'il était temps que j'apprenne à foncer.

Elle a eu l'air surprise de mon invitation, mais elle a accepté. C'était tout ce qui comptait. Je me répétais sans arrêt de ne pas trop espérer, que l'important, c'était de passer une belle soirée et qu'elle soit bien avec moi. Je n'allais pas tout gâcher en essayant d'aller trop vite ou en lui montrant tout de suite à quel point j'avais envie d'être plus proche d'elle.

Quand je suis allé la chercher, j'étais super gêné, alors que je ne l'avais jamais été avant avec elle. C'est sûr que je n'avais jamais été seul avec elle comme ça, mais ce n'était pas juste ça. Elle avait l'air aussi timide que moi et c'était bizarre. On est arrivés tôt, et ça lui a donné le temps de me battre aux courses de moto. Et je ne l'ai même pas laissée gagner! C'était un peu humiliant, mais j'étais quand même impressionné.

On s'est bourrés de popcorn et de bonbons. Le film était moyen, mais je ne l'ai pas vraiment regardé, de toute façon. J'avais la tête ailleurs. Ses cheveux sentaient bon. Elle était belle. J'avais envie de la prendre dans mes bras, de l'embrasser. Je voulais être dans ma chambre avec elle, sentir sa peau contre la mienne, toucher son corps, partout. Malgré mes bonnes intentions, je me suis mis à espérer, à me demander comment la soirée allait finir. Je l'ai invitée à aller manger quelque part après, mais elle avait des choses à faire tôt le lendemain. Ça sonnait comme une excuse. J'avais tellement espéré que ça ne se terminerait pas comme ça! Je n'ai pas voulu insister.

* * *

Comme je ne pensais pas vraiment avoir de chances avec Sarah-Jeanne, j'ai été super content quand elle m'a téléphoné, un soir de la semaine suivante, pour me demander de la rejoindre chez Julianne. Elle voulait me faire écouter quelque chose. Sarah-Jeanne n'avait jamais rien entendu d'aussi bon et elle voulait avoir mon opinion. J'étais étonné, mais surtout très curieux; je ne savais pas du tout à quoi m'attendre. Rien n'aurait pu me préparer à ce que les filles m'ont fait écouter.

En arrivant chez Julianne, j'ai encore été secoué de voir comment elle était devenue. Ce n'était plus la fille que j'avais connue l'année d'avant. Elle était complètement transformée et c'était inquiétant. Elle était trop maigre, pâle, elle avait l'air malade. Mais c'était surtout son regard qui me mettait à l'envers. On aurait dit qu'elle avait peur, comme si elle voyait des fantômes qui étaient invisibles pour nous. C'était probablement ça, au fond. Elle m'a fait un drôle de sourire, un peu triste, mais j'ai senti qu'elle était contente de me voir. C'était bizarre. Je n'étais plus amoureux d'elle. J'avais déjà ressenti plein de choses pour elle, mais maintenant, à cause de ce qui s'était passé, je la voyais bien plus comme un petit oiseau blessé que je voulais protéger que comme une blonde potentielle. Et ça n'avait rien à voir avec les vieux vêtements qu'elle portait ou ses cheveux n'importe comment. Non, j'avais l'impression qu'on était super proches, mais qu'en même temps, c'était impossible de l'atteindre, comme si elle avait dressé une grosse clôture de fer barbelé tout autour d'elle. Sauf que je croyais deviner, à la façon dont Julianne et Sarah-Jeanne se regardaient, qu'il y avait un lien spécial entre les deux filles, et ça m'a fait plaisir sans trop savoir pourquoi.

De toute manière, je n'étais pas venu chez elle pour essayer de parler de ce qui était arrivé. Si c'était pour se produire un jour, ce serait parce qu'elle le voudrait. J'étais venu écouter de la musique que Julianne avait composée, et ce que j'ai entendu m'a jeté à terre. C'était original. Moi non plus, je n'avais jamais rien entendu de pareil. Bizarrement, à cause de l'atmosphère de la chanson peut-être, ou des paroles, ou je ne sais pas trop, ça m'a comme remué en dedans. Ce n'était pas joyeux comme musique, mais pas *down* non plus, juste intense, comme si ça allait chercher quelque chose de caché en dedans. C'est difficile à décrire, mais c'était comme si la chanson avait été écrite pour moi, mais qu'elle pouvait toucher tout le monde en même temps. J'ai écouté une seule chanson, et juste une fois, mais je l'avais de collée dans la tête comme si je l'avais entendue toute la journée. Julianne m'a dit qu'elle en avait plusieurs autres, qu'elle continuerait de les travailler. Moi, j'ai tout de suite pensé à Oli, un guitariste que je venais de rencontrer au cégep, qui tripait sur les mêmes affaires que moi, qui ne se prenait pas pour un dieu et qui avait vraiment beaucoup de talent. Il serait parfait pour jouer ça. Il m'avait aussi dit qu'il avait un chum bassiste avec qui il aimerait jouer.

C'est comme ça qu'*Existence*, la chanson de Julianne, est devenue aussi Existence, le band.

* * *

Pendant que Julianne travaillait sur d'autres chansons, moi, j'essayais de me sortir Sarah-Jeanne de la tête. C'était impossible. Je pensais toujours à elle, nuit et jour. Chaque fois que je la voyais, je voulais l'embrasser, la toucher. J'obsédais. Je me voyais la prendre dans mes bras et la nuit, je m'imaginais en train de la caresser, de l'avoir dans mon lit avec moi. J'en ai passé, des heures, à rêver d'elle! C'est certain que je ne voulais pas risquer de tout faire foirer avec Existence, mais ma motivation pour le band passait autant par elle que par Julianne et les chansons.

Après quelques semaines, j'ai bien compris que ça ne servait à rien de me faire accroire que j'arriverais à l'oublier comme blonde. Noël approchait, et le dernier mois passé à la voir aussi souvent a été un calvaire. Je ne savais pas si je devais lui dire comment je me sentais ou pas, des jours je me disais que oui, d'autres, non, des fois je me disais que c'était possible qu'elle ressente la même chose que moi, d'autres, que j'étais con, que je n'avais aucune chance avec une fille comme elle.

Finalement, c'est juste avant Noël que ça s'est décidé. Ça s'est fait tout seul, en fait. Au centre d'achats, j'ai vu un toutou qui m'a fait penser à elle. C'était un ourson rose avec une veste de cuir noir et une casquette. Sarah-Jeanne portait une casquette comme ça, des fois, et je la trouvais adorable. En dessous de la veste, le toutou portait un t-shirt qui disait « I am an angel ». Un ange, oui, c'était pas mal à ça qu'elle me faisait penser. Sans trop réfléchir, j'ai acheté l'ourson. Ce serait un cadeau de Noël. Je verrais sa réaction et ça m'en dirait peut-être un peu plus sur ce qu'elle pensait de moi. Je savais qu'elle partait passer quelques jours dans son ancienne ville pour les vacances des Fêtes et je voulais absolument le lui donner avant. Je trouvais que c'était un bon plan.

Je suis allé chez elle sans même lui téléphoner

avant. En arrivant, j'étais plus nerveux que si j'avais été sur un *stage* devant des milliers de personnes. Sa mère l'a appelée et quand je l'ai vue, comme toujours, j'ai figé. Elle avait l'air contente de me voir, c'était déjà ça. Je l'ai suivie dans sa chambre et tout à coup, je me suis pensé le *king* des cons. Elle allait peut-être trouver ça niaiseux, bébé, un toutou? Me semblait que les filles aiment ce genre d'affaires-là, mais Saja était justement pas mal différente des autres filles... J'étais gêné et je cherchais quelque chose à dire. Finalement, je me suis lancé:

— Tu pars demain, c'est ça?

— Oui, je reviendrai le lendemain de Noël sans faute. J'ai tellement hâte au vingt-sept! Rien ne pourra me retenir là-bas!

Le vingt-sept, oui, notre première pratique avec les autres gars du groupe. Moi aussi, j'avais hâte, mais surtout parce que je la reverrais. Je me suis jeté à l'eau et je lui ai donné la grosse boîte.

— Tiens, c'est pour toi...

— Pour moi? T'es sérieux! Mais moi, je n'ai pas...

— Arrête, c'est pas grave. C'est juste que quand je l'ai vu, il m'a fait penser à toi...

Quand elle a aperçu l'ourson, elle m'a regardé d'un drôle d'air. Elle avait l'air vraiment contente. Ça m'a encouragé.

— Il te plaît? Tu vois, ce n'est pas grand-chose...

mais peut-être... hum... peut-être qu'il te fera penser parfois à moi...

— J'ai pas besoin d'un ourson pour penser à toi, Fred, mais il est adorable. C'est vraiment gentil de...

Je ne l'ai pas laissée finir. Je l'ai embrassée, enfin. Juste un petit bec parce que j'avais trop peur qu'elle me repousse, mais c'était le meilleur bec à vie. Elle est restée là, les yeux fermés, en passant sa langue sur ses lèvres, et j'en voulais plus. Tellement plus que ça m'a fait peur.

— Excuse-moi, j'aurais pas dû, c'est idiot.

J'aurais voulu disparaître dans le plancher. Qu'est-ce qui m'avait pris ? Encore une fois, je me ferais dire qu'elle m'aimait, oui, mais comme ami, pas comme *ça*. Elle utiliserait le band pour me dire qu'elle ne voulait pas tout gâcher, que ce n'était pas une bonne idée et tout le reste. J'avais *déjà* tout gâché. Ce petit bec, je ne pourrais jamais l'oublier. Alors, autant essayer de lui expliquer. Je n'avais plus rien à perdre.

— Vraiment, c'est con, mais ça fait si longtemps que j'ai envie de ça. Depuis le soir où je t'ai rencontrée, en fait, et là avec le nouveau band, j'ai pas envie de tout gâch...

Là, c'est elle qui m'a empêché de finir. Elle m'a embrassé, pour vrai, cette fois-ci, et c'était encore meilleur que tout ce que j'avais imaginé. Je la tenais contre moi et j'aurais voulu la coller encore plus près, sentir sa peau contre la mienne, la déshabiller là. Ça m'aurait juste pris quelques secondes. Sa langue sur la mienne était trop douce, trop chaude pour que ça s'arrête. Je pourrais jamais la lâcher.

Sa mère l'a appelée, et je savais qu'il fallait que je la laisse partir, mais je voulais pas. J'avais chaud, j'étais dur, je voulais juste rester là avec elle et faire tout ce que je rêvais de faire depuis que je la connaissais. Elle pouvait juste *pas* partir. J'étais certain que ces quelques jours se transformeraient en années. J'ai eu encore plus chaud quand elle m'a dit :

— Frédérick, j'ai plus du tout envie de partir !

— Et moi, je voudrais bien te kidnapper. Mais tu verras, tu vas t'amuser. Moi aussi, d'ailleurs, faut que je passe les Fêtes avec ma famille, et ça, crois-moi, tu *veux* manquer ça ! Un peu bizarre, ma famille…

— Toutes les familles ont quelque chose de bizarre ! Si passer du temps avec ta famille est tout ce que je dois faire pour être près de toi, je n'hésiterais pas une seconde ! Moi aussi, j'attends depuis un petit moment, tu sais… et moi aussi, j'avais peur à cause d'Existence.

Je l'ai embrassée encore. C'était plus fort que moi même si c'était une torture parce que je savais qu'on n'avait pas beaucoup de temps. Je voulais ça, oui, mais je voulais tellement plus que j'avais mal, et pas juste dans mes jeans. Sa mère l'a encore appelée, d'un ton plus impatient, cette fois.

— Faut que j'y aille, je pense.

— Cache-toi dans ma valise…

* * *

J'ai passé un drôle de Noël. C'était comme d'habitude avec mes parents, ils avaient toujours l'air de bien aller, mais moi, j'étais différent, comme s'il me manquait quelque chose. Évidemment, il me manquait Saja. On s'était juste embrassés et elle était déjà comme une partie de moi. Ça me faisait peur, mais en même temps, ça me faisait triper, je ne touchais plus à terre. Mes parents me trouvaient dans la lune, mais je n'avais pas vraiment envie de leur parler d'elle, pas tout de suite. À ma mère, peut-être, si je passais un peu de temps tout seul avec elle, mais pas à mon père.

J'étais content de voir que même s'il avait engraissé pas mal et qu'il était assez magané, mon père avait l'air relativement bien. Sobre, au moins. Par contre, je me sentais loin de lui et je n'avais pas nécessairement envie que ça change. J'avais trop hâte au vingt-sept décembre. C'était tout ce qui comptait. Même si je travaillais pas mal, les journées passaient trop lentement et je voulais juste que Sarah-Jeanne revienne. Je me demandais des fois si j'avais rêvé ce qui s'était passé avec elle, comme si ce n'était pas encore vrai. Faut dire que je l'avais imaginé tellement souvent que je n'étais plus certain de ce qui était vrai et de ce qui ne l'était pas. Je me souvenais du goût de ses lèvres, et ça, c'était trop réel pour que je l'aie juste imaginé. J'espérais que les quelques jours passés avec sa famille ne la feraient pas changer d'idée. Je savais que je ne devais pas penser à ça, mais je ne pouvais pas m'en empêcher. Me semble que c'était le genre d'affaires qui m'arrivait d'habitude. J'avais jamais autant tripé sur une fille... Jamais.

Le jour où elle était supposée revenir, je l'ai passé à attendre son téléphone. Toute la journée, toute la soirée aussi. Je combattais mes doutes : peut-être qu'elle était revenue, mais n'avait pas envie de me parler ; peut-être qu'elle regrettait ce qui s'était passé et ne savait pas trop comment me le dire. Peut-être que la fin du monde arriverait. Je me tapais sur les nerfs. Elle m'avait bien dit qu'elle revenait le vingt-six, mais comme je n'avais pas de nouvelles, je m'inquiétais. J'avais beau me dire que sa mère avait probablement juste décidé de ne pas se presser, je n'en pouvais plus quand même.

Enfin, le matin du vingt-sept, quand j'ai finalement entendu sa voix excitée, j'ai su que rien n'avait changé. J'étais soulagé, content, mais je voulais la voir là, *tout de suite*.

— Est-ce qu'il faut que j'attende à ce soir pour te voir ? T'aurais pas envie de venir faire un tour ? On pourrait aller se promener, j'sais pas moi… ce que tu veux !

Elle a dit oui, mais il fallait qu'elle aide sa mère avant et m'a promis de me téléphoner dès qu'elle aurait fini. J'ai tourné en rond pendant ce qui m'a semblé des heures. C'est une Sarah-Jeanne surexcitée qui m'a rappelé un peu plus tard. Sa mère venait de lui offrir des cours de chant avec un professeur qui avait enseigné à plein de chanteuses et de chanteurs connus. Avec lui, la voix de Saja deviendrait encore plus incroyable, et j'étais content pour elle. Je me suis dépêché de me rendre chez elle, j'avais trop hâte qu'elle me raconte tout ce qu'elle avait fait. Je voulais aussi l'entendre dire qu'elle s'était ennuyée de moi autant que je m'étais ennuyé d'elle. Quand elle est sortie de chez elle, ça s'est passé comme au ralenti. Elle souriait, courait vers moi et bam ! Elle était dans mes bras. On s'est écrasés dans la neige, on riait comme des kids et j'étais bien.

Cool.

* * *

On est allés au parc. Il faisait froid mais super beau. De toute façon, même si ça n'avait pas été le cas, ça n'aurait rien changé à la perfection de la journée. Je voulais juste être avec elle. OK, j'aurais aimé mieux être chez moi, dans mon lit plus précisément, mais ça viendrait, en tout cas, je l'espérais!

Je voyais à peine les enfants qui glissaient, les autres qui skiaient. Tout ce que je voyais, c'était elle. Je n'arrivais pas à croire combien c'était facile de parler à Sarah-Jeanne. Je ne m'étais jamais autant confié; ce n'était pas quelque chose que je faisais facilement. Peut-être que je n'avais juste jamais été avec la bonne personne pour le faire. Pour la première fois, j'ai même parlé de mon père. J'avais pas vraiment honte, mais je n'étais pas fier non plus, et il me semblait qu'il fallait qu'elle le sache. Je lui racontais tout ça de façon ordinaire: je lui expliquais ce qu'il avait fait, comment il ne buvait plus, mais qu'il était malade, que son système digestif était fini et que je trouvais qu'il avait l'air vieux, faible. Je ne voulais rien lui cacher et ça m'a fait drôle, comme si ça me faisait du bien, d'en parler. Ça m'a mis à l'envers, c'est sûr, parce que j'ai repensé à un paquet de choses que je pensais avoir oubliées ou, en tout cas, auxquelles je ne voulais plus penser. Comme le coup de poing qu'il m'avait donné et ce qu'il avait fait à ma mère. Elle serrait ma main en m'écoutant, et c'était comme si je sentais qu'elle me comprenait même si j'étais certain qu'elle n'avait jamais vécu quelque chose du genre. Ce n'était pas de la pitié, en tout cas, et tant mieux. Je ne voulais pas faire pitié. Pour elle qui avait perdu son père quand elle était petite, c'était difficile de comprendre ou de croire que je n'aimais pas le mien, mais il fallait que je le dise. Je ne sais pas pourquoi c'était aussi important, mais je me foutais de la raison, en fait. C'était juste vraiment cool de pouvoir dire tout ça en réalisant qu'elle ne me jugeait pas, mes parents non plus. Je n'avais jamais vécu ça, la drôle d'impression qu'on se connaît depuis des années. Elle m'a dit qu'elle m'admirait de me débrouiller pour mes études et l'appart, et moi, j'étais fier qu'elle me dise ça. Je me sentais important avec elle. Je me sentais tellement bien que c'était presque épeurant. Puis, on a parlé de musique. Elle m'a confié en riant :

— Je rêve réellement de pouvoir chanter toute ma vie, de devenir une star !

Même si elle riait en disant ça, je savais qu'elle était sérieuse, au moins en partie. Je la comprenais : je ressentais la même chose. Je savais à quel point c'était difficile de vivre de la musique. Par contre, même si j'aimais mes cours de graphisme et de dessin au cégep, ce n'était rien comparé au feeling de jouer en spectacle. Et parlant de feeling, je lui ai confié mon enthousiasme à propos du band :

— J'ai confiance, tu sais. J'ai tellement hâte d'entendre les chansons avec les autres instruments !

Avec ta voix et le talent de compositrice de Julianne, on a des chances d'aller loin.

— Moi, je serais prête à aller loin, avec toi, en tout cas… jusqu'au bout du monde, même !

On a arrêté de marcher et je l'ai embrassée. Nos bouches étaient froides, c'était vraiment cool. Je ne voulais pas fermer les yeux, juste la regarder. Je n'avais jamais désiré une fille autant qu'elle, mais je voulais lui montrer que je l'attendrais, que je serais doux et patient. Ça serait dur, mais ça vaudrait la peine, j'en étais certain. En attendant, je pouvais toujours me soulager autrement en pensant à elle…

On est partis vers mon auto. On était gelés et il fallait aller finir de préparer le sous-sol, chez Sarah-Jeanne, avant la pratique. Elle m'a aidé à placer mon drum en attendant les autres. Julianne est arrivée la première ; elle était nerveuse, ça paraissait. Elle était encore fragile et j'espérais vraiment que tout se passe bien. Oli et Simon-Pierre sont arrivés ensemble et, après que tout le monde a rencontré tout le monde, on les a aidés à transporter leurs instruments et à tout placer. À la fin, Sarah-Jeanne a présenté son amie Mélo, le petit chaperon rouge du party d'Halloween, avec son chum Jonathan en expliquant que c'était elle qui avait décoré le local. Je l'aimais bien, Mélo.

Puis, enfin, on a joué et j'ai senti qu'il se passait quelque chose de spécial. On s'est détendus en jammant n'importe quoi pour s'habituer à jouer ensemble, ce qu'on faisait pour la première fois. C'était surtout important pour Simon-Pierre, le bassiste, et moi parce que si ça ne cliquait pas entre nous deux, ce serait un problème. Mais finalement, c'était comme si on jouait dans le même band depuis toujours. En plus, ce qui était vraiment cool, c'est qu'on s'entendait super bien. On riait des mêmes affaires, on était déjà un band.

Quand on a senti qu'on était prêts, on a joué *Existence*. Wow. Les gars avaient bien travaillé. Le solo d'Oli était hallucinant. C'était clair qu'il s'était vraiment forcé pour que ce soit parfait. Le dernier accord résonnait encore quand Julianne est partie aux toilettes, les yeux pleins d'eau. Moi, je savais pourquoi, mais j'avais peur que les gars la trouvent bizarre ou un peu trop du genre émotif... Je n'avais pas dit grand-chose à Olivier ni à Simon-Pierre sur Julianne ni sur le vrai sens de la chanson dont les paroles étaient réellement spéciales et bouleversantes. J'avais juste mentionné que ça avait une signification particulière pour elle et qu'elle avait vécu des choses vraiment dures. Je n'avais pas dit quoi, car ce n'était pas de mes affaires, mais comme ils avaient trouvé les paroles assez intenses, j'imaginais qu'ils les comprenaient un peu.

Je m'inquiétais pour rien. Quand Julianne est

sortie des toilettes, environ quinze minutes plus tard, Simon-Pierre, qui s'annonçait pour devenir officiellement le clown du band, s'est avancé un peu. Je me demandais ce qu'il allait faire ou dire et à ma grande surprise, il s'est mis à applaudir en regardant Julianne. Il était sérieux. Il ne se moquait pas du tout, au contraire. On a tous fait comme lui, instinctivement. Je me demandais comment Julianne allait réagir, j'avais peur qu'elle se sauve, mais elle a souri à travers ses larmes. Elle est allée s'asseoir à son clavier en nous regardant et elle a fait comme nous, elle s'est mise à applaudir. Puis, elle a dit :

— Merci. Je n'aurais jamais cru que d'entendre de si bons musiciens jouer ça me ferait un tel effet... désolée !

Olivier a dit ce qu'on pensait tous :

— Désolée ? T'as pas à être désolée ! Nous, on est bien contents d'avoir la chance de la jouer, cette musique.

Sarah-Jeanne est allée la prendre dans ses bras et j'ai vu Simon-Pierre lever les yeux au ciel, l'air de dire : « Bon, les filles vont se brailler dans les bras ! », mais encore une fois, il ne se moquait pas, il avait plutôt l'air amusé. J'étais pas mal content de voir que ça marcherait, que tout le monde s'entendait et se respectait. J'étais fier d'avoir pu réunir ma blonde et Julianne avec ces gars qui avaient l'air aussi corrects qu'ils étaient bons musiciens. Je voyais déjà comment ça serait, Existence : vrai, simple, juste parfait.

CHAPITRE 15

Affaires de filles

J'ai travaillé pas mal pendant le reste des vacances, mais tous mes temps libres, je les passais avec le band et avec Sarah-Jeanne. On jouait dehors, on allait au cinéma avec Mélo et son chum, on parlait, on apprenait à se connaître et j'étais en amour par-dessus la tête. Pendant ce temps-là, Julianne travaillait ses autres chansons et j'avais hâte d'entendre ce que ça donnerait. Le cégep a recommencé, l'école pour Saja aussi. La routine.

Le mercredi de la première semaine d'école, c'était la fête de Sarah-Jeanne. Elle trouvait ça excitant, d'avoir seize ans. Sa mère m'a invité au resto avec Mélo, Julianne, la sœur de Sarah-Jeanne, Nadia, et son beau-père. Saja commençait aussi ses cours de chant le même soir et je savais qu'elle était vraiment excitée. J'étais super content pour elle, de la voir aussi heureuse. Au restaurant, la sœur de Sarah-Jeanne s'est presque jetée sur moi. C'était quand même drôle : elle faisait la grande sœur qui protège la petite en me posant plein de questions. Elle voulait savoir si j'étais le bon gars pour elle. Au moins, c'était clair, et je faisais de mon mieux pour passer le test. Mélo et Jonathan nous écoutaient avec un petit sourire en coin et moi, je me disais que c'était une belle famille, une belle gang. Sarah-Jeanne a déballé ses cadeaux. Elle était tout émue, les larmes n'étaient pas loin. Cute. Le serveur a apporté un gros bouquet de fleurs de la part de Michel, son beau-père, et quand j'ai vu son sourire, je me suis juré que je lui en donnerais un, moi aussi, et bientôt. Michel lui a dit :

— C'est pour toi, ma belle Saja. J'aurais pas pu rêver avoir une fille plus extraordinaire que toi.

Il avait les yeux mouillés et j'ai envié leur relation. Une fois seulement dans toute ma vie, mon père m'avait dit quelque chose d'aussi gentil, et Michel n'était même pas le vrai père de Saja. J'aurais aimé ça, moi aussi, que mon père me dise des affaires de même de temps en temps, mais je n'étais pas jaloux de ma blonde. Je ne pouvais pas être jaloux en étant aussi content pour elle. Elle a répondu :

— Merci, Michel. Comme père, tu te débrouilles pas mal bien toi aussi, tu sais !

C'était un peu trop de sentiments à mon goût. Je n'étais pas super à l'aise. Je pense que je ne me sentais pas tout à fait à ma place peut-être parce que je ne les connaissais finalement pas beaucoup ou parce que je n'étais pas habitué à ce genre de démonstration en public. Par chance, les serveurs du restaurant ont choisi ce moment-là pour apporter de petits beignes avec des chandelles. Sarah-Jeanne nous a regardés, a soufflé en faisant son vœu et on a mangé. Après, elle est partie avec sa mère pour son cours de chant. J'aurais vraiment voulu y aller, mais Saja m'avait dit qu'elle voulait y aller toute seule avec sa mère, au moins pour le premier, que ça lui ferait vraiment plaisir. Pas de problème. Je suis parti pratiquer en attendant qu'elle me raconte comment ça s'était passé. Plus tard ce soir-là, elle m'a dit que ça avait été la plus belle fête de sa vie. Elle adorait son prof de chant et elle disait que c'était son plus beau cadeau après… moi. Cool.

À l'école de ma blonde, les AAA faisaient parler d'elles encore plus que d'habitude. J'étais quand même un peu curieux. Ça faisait partie de mon ancienne vie et je me doutais que ces filles-là finiraient mal un moment donné même si je me foutais pas mal d'elles. En réalité, ça me faisait rire, toutes leurs histoires ridicules. Saja m'avait dit qu'elles étaient toujours les mêmes physiquement, mini-jupettes et talons hauts même en plein hiver, mais elle trouvait qu'elles étaient comme « plus tranquilles ».

Elles ignoraient complètement Saja et ça faisait son affaire. Même Julianne, qui s'était fait écœurer par elles depuis le début de l'année, avait l'air d'avoir été oubliée. On ne comprenait pas trop pourquoi jusqu'à ce qu'il devienne clair que les trois greluches étaient en chicane. Alex et Annie-Jade contre Alissia. Une histoire de chum. Selon ma blonde, les deux autres jupettes la boudaient, probablement qu'elles étaient jalouses. Je les trouvais tellement stupides! J'étais fasciné par le bitchage qu'elles pouvaient se faire. Me semblait qu'elles avaient du temps à perdre pour niaiser de même. D'après ma blonde et Mélo, c'était de plus en plus pathétique chaque jour. Elles ont commencé par se faire des grimaces dans les corridors de l'école. Après, ça a été les vraies batailles de filles à l'arrêt d'autobus, le même que Saja. Elle riait tellement en me racontant ça que je ne pouvais pas m'empêcher de trouver ça drôle, moi aussi. Finalement, il y a eu des coups, du tirage de cheveux et, franchement, j'aurais aimé voir ça.

Ça a dégénéré. Alex et Annie-Jade ont envoyé une vidéo d'Alissia en train de coucher avec Yannick à son nouveau chum. Croyant que c'était Yannick qui avait fait ça, Alissia est allée chez lui et l'a « attaqué » avant de comprendre qu'il n'avait rien à voir là-dedans. Pour se venger, Alissia a donné une fausse invitation à tous les gars de leur groupe à l'école, qui disait que, s'ils fournissaient les condoms, Alex et Annie-Jade leur feraient des affaires vraiment hot. Comme des cons, plusieurs sont allés chez Alex, la queue déjà dure, prêts à l'action. Tout ce qu'ils ont eu, comme action, c'est l'air bête du père d'Alex. Je le connaissais, son père, et je n'aurais pas voulu être à leur place, surtout si sa caisse de bière était vide. Julianne, elle, était plutôt contente :

— Ahhh, Alex va y goûter ! Je gagerais n'importe quoi que son père va la mettre à la porte.

— T'es sérieuse ? Il ferait ça ? Et sa mère ?

— Sa mère ? Elle dit rien sa mère, jamais rien. Elle a dû apprendre à se la fermer après avoir reçu une volée ou deux.

— T'es sérieuse ?

— Oui, trop sérieuse. J'ai jamais vu Alex avec des bleus, mais sa mère, quand que je la vois, elle porte TOUJOURS des verres fumés.

Je savais que c'était très possible même si Alex ne m'avait jamais donné ce genre de détails. Je revoyais mon propre père, ce qu'il nous avait fait, à ma mère et moi, et c'était trop facile de la croire. J'ai eu un peu pitié d'Alex, mais pas longtemps. Elle était devenue une fille dont je ne pouvais juste pas avoir pitié. Julianne a poursuivi :

— Écoute, je connais un peu son père. Son caractère est directement lié au nombre de bières qu'il a bues. Malheureusement, il a l'air d'en boire pas mal. Et je l'ai vu plus d'une fois s'énerver et serrer le bras d'Alex pas mal fort. Mais tu peux rien faire, Saja. Rien du tout. C'est poche, mais c'est comme ça.

Après, c'est Alex et Annie-Jade qui se sont

vengées d'Alissia. Elles ont mis sur le babillard de l'école une note qui disait qu'Alissia avait perdu sa prescription pour son médicament contre l'herpès vaginal et que ça piquait vraiment. En réponse à ça, Alissia a téléphoné à la mère d'Annie-Jade en se faisant passer pour une infirmière. Elle disait qu'elle avait eu des résultats positifs pour une ITS, la quatrième fois cette année. Des graffitis sur Alissia sont apparus partout dans l'école; pas longtemps après, le prof de français a reçu une lettre qui disait qu'Alex et Annie-Jade lui feraient ce qu'il voulait s'il les faisait passer le cours. Le directeur les a suspendues. Je n'arrivais pas à croire à la méchanceté de qu'elles pouvaient inventer. Pourquoi? Je trouvais ça vraiment con, mais Julianne et Sarah-Jeanne, elles, n'étaient pas si étonnées.

Ça s'est calmé après ça, probablement parce qu'il ne restait qu'une jupette à l'école. Saja trouvait ça louche. Elle disait qu'après ce qu'Alissia avait fait, c'était impossible que les deux autres ne réagissent pas. Comme de fait, le point final est arrivé quelques jours plus tard. Sarah-Jeanne m'a raconté que la fameuse vidéo qu'Annie-Jade et Alex avaient envoyée au chum d'Alissia s'était retrouvée dans les courriels de tous les élèves sur la liste du cours d'informatique. Quoi, cent cinquante, deux cents élèves? Ouch. J'ai cru ma blonde facilement quand elle m'a raconté que ça avait fait tout un tapage à l'école. Des gars avaient commencé à ouvrir le fichier et à regarder ça dans la cour d'école. À peine une heure plus tard, c'était sur Facebook et partout ailleurs. Alissia était partie de l'école avant la fin de la journée, et personne ne pensait qu'elle y retournerait.

Ma blonde et ses amies ne savaient pas trop comment réagir. Elles avaient presque pitié ; ni Sarah-Jeanne ni Julianne n'auraient pu être assez méchantes pour souhaiter ce genre de chose. Julianne aurait eu le droit, selon moi, mais elle n'avait pas trop l'air de savoir elle-même ce qu'elle en pensait. Tout ce qu'elle m'avait dit, quand je le lui avais demandé, c'était :

— T'sais, j'aurais vraiment pensé que ça m'aurait fait du bien, que j'aurais été contente de voir ça leur péter au visage. Me semble qu'elles l'ont bien cherché. Mais au fond, ça change rien à ce qu'elles m'ont fait.

Je ne comprenais toujours pas pourquoi elle n'avait jamais voulu les dénoncer, mais ce n'était pas facile pour elle de s'expliquer.

— Si je faisais ça, j'pense que je le regretterais. Sébas, Yannick, les jupettes, ils me le feraient payer et je trouve que j'ai assez payé. Je veux pas revivre tout ça, j'suis trop fatiguée et ça fait trop mal. En plus, faudrait que je raconte tout à du monde que je connais pas, que j'implique un paquet de personnes qui ont pas besoin de ça, comme toi, par exemple.

— Tu sais que je le ferais, ça me dérangerait pas. J'te l'ai toujours dit.

— Je sais, Fred. Mais y a aussi mon père. J'veux juste continuer ma vie, t'sais ?

Non, je ne savais pas. Quand je pensais à Sébas et Yannick, je me sentais devenir agressif et je me souvenais de la sensation de mon poing qui s'écrasait dans sa face. Ça m'avait soulagé et j'aurais voulu que Julianne ressente ça, elle aussi. Mais bon, ce n'était pas à moi de me mêler de ça.

CHAPITRE 16

Les secrets de Mélo

Pendant tout ce temps où les AAA s'arrachaient les cheveux entre elles, nous, Existence, on avançait. Julianne avait fini par nous faire écouter cinq autres chansons que je trouvais aussi excellentes les unes que les autres. Je pense que ce qui faisait leur force, c'était les paroles. La musique était vraiment bonne, mais avec des paroles ordinaires ou insignifiantes, ça n'aurait pas marché. On ne voulait pas faire de chansons d'amour, ni de chansons de party, ni de chansons qui parlent de n'importe quoi. Julianne arrivait toujours à aborder des choses importantes, sérieuses, assez *dark* sans que ça sonne déprimant. C'était juste profond, intense, et on adorait ça. En fait, selon la personne qui écoutait, le sens pouvait changer complètement, et c'est ça qui était vraiment spécial. Je savais que beaucoup de ses textes parlaient de son vécu à elle et de ce qu'elle espérait de la vie, mais ça allait pas mal plus loin. Après *Existence*, elle a écrit *Obsession*, *Innocence* et *Illusion*, entre autres, qui allaient chercher plein d'affaires pour moi et pour les autres, mais des émotions différentes pour chaque personne. Si on connaissait beaucoup Julianne et qu'on jouait les quatre chansons dans l'ordre, on comprenait ce qu'elle avait vécu, mais sinon, ça aurait pu toucher n'importe qui.

Comme moi avec ma blonde, par exemple. On avait eu peur, au début, que le fait de sortir ensemble nuise au band, mais c'était le contraire. Plus que jamais, sa présence me donnait confiance. Je croyais à ce band comme je n'avais jamais cru à rien d'autre. Avec les cours de chant, la voix de Saja était encore plus puissante, plus « mature », je pense, et j'étais aussi fier d'être son drummer que son chum. La seule chose que je trouvais difficile était le peu de temps qu'on pouvait passer ensemble. Je n'avais pas l'impression que je pourrais me rapprocher d'elle comme je le voulais avant un bout de temps. J'avais beau être patient, je commençais à trouver ça dur. Sarah-Jeanne avait l'école et ses cours de chant, moi, j'avais le cégep, je travaillais et je donnais toujours des cours de drum. On avait tous les deux les pratiques du band, une chance, mais côté intimité, c'était moyen. Comme Julianne voulait que Sarah-Jeanne s'implique de plus en plus dans l'écriture des chansons, il ne nous restait vraiment pas beaucoup de temps ensemble juste tous les deux. C'est sûr qu'on essayait d'en profiter au max quand ça arrivait, mais...

Au début, c'était clair que Saja ne voulait pas aller trop loin ni trop vite. Je ne savais pas vraiment ce qui s'était passé avec Sébas, mais ça n'avait pas l'air d'avoir été super. J'avais été un peu déçu et fâché au début parce que je pensais bien qu'ils avaient fait l'amour et je trouvais ça dommage qu'elle ait vécu ça avec lui, mais quand elle m'a dit que non, que je serais le premier, ça m'a fait du bien en même temps que ça m'a un peu stressé. Je trouvais que c'était comme une responsabilité. Je voulais que ce soit cool pour elle... au moins assez pour qu'elle ait envie de recommencer !

J'ai choisi d'être patient le plus longtemps possible et de la laisser me montrer ce qu'elle voulait quand elle le voulait. Oui, c'était dur. Oui, c'était frustrant. J'étais sérieusement en manque : j'avais hâte de sentir autre chose que ma propre main me toucher. Je n'avais été avec aucune autre fille depuis Alex et j'avais l'impression qu'un siècle avait passé. Mais en même temps, ce n'était vraiment pas si grave, surtout si ça voulait dire qu'elle me faisait confiance et qu'elle l'appréciait. Une fois, elle m'a dit :

— Je voudrais oublier tout ce qui s'est passé avec Sébastien, faire comme si y avait jamais existé et recommencer à zéro, avec toi, de la bonne manière.

J'étais tout à fait, complètement d'accord avec ça jusqu'à ce qu'elle ajoute :

— J'pense que j'ai trop d'attentes pis je veux pas être déçue. J'ai aussi tellement peur de te décevoir, toi !

Euh. Quoi ? Me décevoir ? Non, pas de danger.

— Si tu as peur de me décevoir, ça veut dire que tu le ferais juste pour me faire plaisir à moi. Et c'est pas ça que je veux. Quand ça arrivera, si ça arrive, ce sera parce que tu en auras autant envie que moi et parce que tu sauras que c'est le bon moment. Et là, tu pourras pas me décevoir parce que tu seras bien et, surtout, tu seras toi-même. Et toi, eh bien, je t'aime telle que tu es… Par contre, si t'as peur d'être déçue de moi, là, tu me mets de la pression pas à peu près!

Elle a ri. Trop fou comment j'aimais l'entendre et la voir rire. C'était si simple avec elle. Avec les autres filles, fallait toujours essayer de deviner ce qu'elles voulaient dire. J'avais souvent l'impression qu'elles disaient quelque chose en espérant qu'on devine qu'elles voulaient dire le contraire. Avec Sarah-Jeanne, ce n'était pas comme ça: elle disait ce qu'elle voulait et ce qu'elle pensait sans essayer de me passer un message subtil. C'était rafraîchissant.

Sauf qu'en attendant, le soir, je me couchais et je me touchais en pensant à elle et en imaginant sa tête sur mon ventre, en bas, avec la chaleur de sa bouche, et je trouvais ça de plus en plus dur.

OK, honnêtement, ça commençait à presser.

Heureusement pour moi, ça commençait à presser, pour Saja aussi, et elle avait l'air de trouver ça aussi difficile que moi d'attendre. Un soir, j'ai vraiment pensé que ça y était. Si on avait été chez moi, ça aurait probablement été le cas. Mais non, on était chez elle. Elle s'est approchée de moi et a détaché sa blouse pour que je la caresse. Pas si cave, quand même, j'ai saisi l'occasion. J'avais tellement attendu ça que maintenant que ça y était, j'étais comme gêné. Ses seins étaient tellement doux... j'ai essayé de rester calme, mais ça ne marchait pas. Elle avait plein de frissons et moi, j'étais bandé au point d'exploser. Je l'embrassais, je la caressais, je léchais son ventre et quand elle m'a fait enlever mon t-shirt, je n'ai pas pu me retenir de me coller sur elle, pour sentir sa peau sur la mienne. Enfin.

C'était comme si rien d'autre n'existait. Je savais plus où, quelle heure ou quel jour on était, je m'en foutais. Je ne voulais rien d'autre que ça et j'étais dans ma bulle. Tellement que je n'ai jamais entendu sa mère arriver. C'est Saja qui m'a repoussé doucement. Comme on était dans sa chambre, on a eu le temps de se rhabiller sans qu'il arrive quoi que ce soit de gênant.

Après ça, c'est devenu pire que jamais. Je pensais à elle le soir, au goût de sa peau. Et je la voulais. Je la regardais chanter, je la voulais. Je la voyais marcher, sourire, parler, jouer avec ses cheveux, je la voulais. Je croyais qu'elle me parlait quand elle chantait, que toutes les émotions des chansons m'étaient adressées, et je la voulais. Là. Maintenant. J'avais l'impression d'être bandé vingt-quatre heures sur vingt-quatre, et ça commençait à être inconfortable. Je me soulageais comme je le pouvais, évidemment, mais le soulagement durait de moins en moins longtemps.

* * *

Un soir, en arrivant à la pratique, c'est une Saja tout énervée qui m'a accueilli. Elle était avec Mélo, et c'était clair que les deux filles me cachaient quelque chose. J'ai essayé de savoir quoi, mais elles voulaient absolument que tout le monde soit là avant de me dire quoi que ce soit. Saja a juste parlé d'une bonne nouvelle, une excellente nouvelle, mais sans un mot de plus. Finalement, quand tout le monde a été là, elle a pris la parole :

— OK, la gang, Mélo voudrait vous parler de quelque chose.

Un peu sarcastique, Julianne a dit :

— Bin, oui, on dirait bien que vous avez quelque chose à dire. Vous avez l'air de deux énervées !

Je n'étais pas le seul à avoir remarqué ! Mélo a continué :

— Ouain... Un peu. Euh, bon, OK... Bin, c'est que... Est-ce que vous connaissez Hors La Loi ?

Julianne nous a regardés avant de répondre :

— Bin voyons, tout le monde connaît Hors La Loi ! Ils sont hot !

— Bon, alors, c'est eux qui font le spectacle cette année au Festival des arts. C'est mon père qui l'organise et, euh…

— Ah oui ? Wow, c'est vraiment cool ! Ça veut dire qu'on va pouvoir les voir en spectacle ?

Les yeux de Julianne ont brillé quand elle a posé la question.

— Euh, oui, répondit Mélo, j'pense même que vous allez les voir de proche, si vous… si vous acceptez de faire leur première partie.

Tout le monde a eu la même réaction. Les sourcils en haut, la bouche ouverte, on aurait dit une gang de poissons qui manquent d'air. Y avait de quoi ! Après, on a au moins fermé la bouche avant de se mettre à parler, à poser plein de questions en même temps.

Saja a essayé de nous calmer. Puis, elle nous a expliqué que comme le père de Mélo travaillait pour l'organisation des spectacles et des festivals de la ville, il lui avait dit qu'ils cherchaient un band local pour faire la première partie. Mélo avait fait le reste. Elle avait envoyé notre démo, des photos et toute l'information qu'il fallait au comité qui choisissait. Elle ne nous en avait pas parlé au cas où ça n'aurait pas marché. Saja a terminé en riant :

— Et imaginez-vous donc que Mélo avait peur qu'on soit fâchés qu'elle ait fait ça sans nous en parler ! Ouais, vous avez l'air aussi fâchés que moi !

Mélo était visiblement contente, elle aussi, presque autant que nous sinon plus. Elle a ajouté, l'air un peu gêné comme si c'était grave :

— Bin, y a un hic, c'est que, comme c'est une soirée-bénéfice, la Ville peut pas vous payer. C'est pour les sans-abris et les jeunes dans la rue, alors même Hors La Loi joue gratuitement. Mais la Ville paie évidemment votre repas et toute la location d'équipement.

Moi, je voyais tout ça clairement dans ma tête. J'étais toujours là, chaque année, au Festival. C'était gros et j'avais toujours secrètement rêvé d'y jouer, un jour, sans trop savoir si ça se produirait. Je ne savais pas si les autres pensaient comme moi, mais j'ai pris une chance :

— Tu sais, Mélo, si on avait pu, on aurait payé pour jouer là ! On ne s'attend pas à être payés, c'est sûr ! Saja, tu sais pas comment c'est, cette soirée-là. J'ai déjà vu les gardiens de sécurité être obligés de refuser du monde parce que l'aréna débordait !

Mon commentaire a presque eu l'air de faire paniquer ma blonde. Je lui ai fait un grand sourire et je pense que ça a tout arrangé. Mélo nous a dit qu'il faudrait jouer environ quarante-cinq minutes. Il nous restait à peine un mois pour nous préparer, mais je ne voyais pas de problème. C'était un rêve qui devenait réalité, quelque chose que j'attendais depuis longtemps et qui serait encore mieux parce que ce serait avec ma blonde et un excellent band. On trouverait le moyen d'être prêts.

C'est Julianne qui a fini par conclure :

— Si y en a un qui est pas d'accord, y est renvoyé tout de suite !

Personne n'a rien dit, mais les sourires en disaient long. Cool.

CHAPITRE 17

Un show inoubliable

Je n'ai à peu près pas vu passer le mois avant le spectacle. Mélo, qui était passionnée de photographie, a pris des photos du band. On pratiquait. J'allais au cégep, je travaillais, je jouais. J'étais fatigué, mais j'avais vraiment hâte. Je sentais que ce spectacle-là allait nous faire passer une étape, que c'était comme un test, quelque chose qui nous ouvrirait plein de portes et j'étais confiant. Ça m'a fait drôle de voir notre photo dans le journal; dans l'annonce du spectacle, on avait l'air d'un vrai band. J'aimais ça. Il y avait des affiches un peu partout dans les restaurants, les dépanneurs, et ça faisait bizarre, mais chaque fois, j'étais fier. Les pratiques étaient vraiment intenses. Pas dans le mauvais sens, juste qu'on était tous vraiment concentrés, on avait un but concret, et ça changeait tout. Ça mettait de la pression, c'est certain, mais de la bonne façon, et j'étais content de voir que chacun des membres prenait ça aussi au sérieux que moi. Pas de niaisage: tout le monde voulait que ce soit parfait.

Ça nous a pris environ deux semaines pour finir tous les arrangements. Après, on a répété le show en jouant les chansons dans l'ordre qu'on voulait et en pratiquant les enchaînements pour éviter les temps morts. La dernière semaine, c'était clair qu'on était rendus où on voulait, et le samedi du show est enfin arrivé.

Les tests de son se faisaient dans l'après-midi, autant pour nous que pour Hors La Loi. La veille, Sarah-Jeanne est venue chez moi. Elle était un vrai paquet de nerfs. Elle a fait une petite crise de dernière minute qui était vraiment normale et qui ne m'a pas énervé. Elle n'était pas en panique, juste tellement excitée qu'elle se demandait comment elle arriverait à chanter dans cet état-là. Je savais qu'une fois sur la scène tout irait bien, mais elle n'était plus sûre de rien. Je l'ai calmée comme j'ai pu. Je l'aurais déshabillée, je l'aurais embrassée partout et je lui aurais fait des caresses qui l'auraient sûrement calmée, mais malheureusement, elle n'avait pas la tête à ça ce soir-là. Dommage...

Une fois à l'aréna, elle était tout aussi énervée. Les techniciens installaient les lumières. J'étais aussi excité que ma blonde par tout ce que je voyais. J'avais du mal à croire que je jouerais sur ce *stage*-là, que je ne serais pas juste un spectateur, et j'avais hâte comme un kid à Noël. Simon-Pierre, Olivier et Julianne ont installé leurs instruments à l'avant de la scène, moi je jouerais sur le drum du batteur de Hors

La Loi. Le technicien a fait quelques essais, Saja est montée sur la scène et on a joué *Existence* comme test de son de band.

Quand Saja a commencé à chanter, j'ai eu de gros frissons partout. Elle m'a regardé, ses yeux étaient tout brillants. Je savais exactement comment elle se sentait. C'était la première fois qu'elle s'entendait aussi bien, aussi fort. Le son était vraiment bon ; tout le monde était sur un trip incroyable. À la fin, on s'est regardés. Ouais, ce show-là allait être le début de quelque chose de vraiment spécial.

On a été vraiment surpris d'entendre des applaudissements venir de la salle. C'était les gars de Hors La Loi qui nous regardaient, super sympathiques. Le chanteur a dit :

— Ouais, je pense qu'il va falloir qu'on soit bons pour pas se faire voler la vedette ! Méchante toune...

Le guitariste a ajouté :

— J'espère que les autres sont moins bonnes, sinon, on est dans le trouble !

Finalement, le batteur a dit :

— Hummm, je sais plus si je veux te laisser ma batterie, le jeune !

Mais ils avaient dit tout ça en souriant, pas d'un air arrogant comme ils auraient pu en avoir un, au contraire. Comme ils s'en venaient vers nous, on a jasé un peu.

Il y avait un buffet dans une salle pour les musiciens et tous ceux qui travaillaient ou organisaient la soirée. On a mangé avec les gars de Hors La Loi et j'ai pu me rendre compte qu'ils étaient vraiment cools. Des fois, avec d'autres musiciens, ce n'est pas évident. Il y a de la compétition, des critiques. Un band comme le leur aurait pu être vraiment chiant envers nous, des débutants, par rapport à eux. Ils se souvenaient qu'ils avaient déjà été à notre place et ça paraissait.

Je parlais avec le batteur de Hors La Loi. On discutait de peaux, de pédales et de double *bass drums*. Je ne m'étais pas vraiment rendu compte que Julianne était partie. Quand elle est revenue, j'ai eu un choc. Ce n'était plus la même fille au look gothique manqué que j'avais côtoyée pendant les derniers mois. Ce n'était pas non plus la Julianne borderline jupette d'avant. C'était une nouvelle fille. Elle s'était mis une robe noire, rien de trop poupoune, juste très cute. Pour le reste, je ne savais pas trop ce qui était différent, mais c'était beau. Ses cheveux, je pense. Elle les avait attachés, on voyait ses yeux et ils étaient un peu maquillés. Julianne avait de super beaux yeux, des yeux de chat, verts et perçants, mais elle les avait toujours cachés depuis le fameux party de la Saint-Jean, presque un an plus tôt. Là, ils étaient bien visibles, comme si Julianne sortait de son trou.

On l'a regardée, Olivier, Simon-Pierre et moi, et on a juste dit : « Wow ! » Ça lui a fait plaisir. Simon-Pierre a dit ce que j'avais pensé quelques minutes avant. Il avait un drôle d'air :

— Wow. T'as vraiment des yeux de chat, Julianne. Et ce que tu portes est vraiment parfait pour ce genre de show ! En plus, ça te va très bien.

Je me suis demandé si Simon-Pierre n'était pas en train de penser à Julianne comme à autre chose que juste une fille du band. Je trouvais que ça serait bien qu'ils sortent ensemble. Je n'étais plus amoureux de Julianne depuis longtemps, et pas juste à cause de Sarah-Jeanne. Elle était devenue comme une sœur, une amie, et c'était parfait. J'aurais aimé ça qu'elle soit bien avec un gars. Ça l'aiderait peut-être à passer par-dessus sa blessure...

On avait un vestiaire de hockey comme loge. Ça sentait la sueur, le gars qui a chaud, et on pouvait entendre que l'aréna commençait à se remplir. J'avais mes baguettes de drum dans les mains, comme si elles étaient collées là, et je me réchauffais en tapant sur le bord d'un banc. La mère de Saja est passée nous voir avec Michel, le beau-père de ma blonde, et ils nous ont dit que l'aréna était presque plein. Je n'en pouvais plus d'attendre. J'étais un peu nerveux, mais pas stressé.

D'autres sont venus dans la loge aussi : Maude, la

cousine de Julianne, avec son père ; mes parents aussi. Ma mère avait l'air gênée. C'était clair qu'elle voulait venir me voir, mais qu'elle n'osait pas. Je suis allé la prendre dans mes bras et je pense qu'elle avait les yeux pleins d'eau. Mon père m'a regardé. Il avait l'air fier. C'était étrange, lui qui avait toujours été découragé que j'aime le dessin ou la musique plutôt que le football ou le hockey. Je ne voulais pas m'attarder à ça. Je trouvais qu'il était un peu tard pour qu'il soit fier de moi même si, au fond, ça me faisait plaisir. Un peu.

Mon père a regardé Saja et j'ai retenu mon souffle. J'espérais qu'il ne dirait pas de connerie. Elle était venue juste une fois souper à la maison, et comme il ne lui avait à peu près pas parlé ce soir-là, j'ai été surpris quand il lui a dit :

— Mon fils a beaucoup de goût ! Éblouissez-moi, jolie demoiselle !

Je trouvais qu'il sonnait comme un vieux. Un grand-père, un bonhomme de l'ancien temps, un curé, presque. Il la vouvoyait ? « Jeune demoiselle » ? C'était quoi, ça ? Je n'ai rien trouvé à dire ou à faire d'autre que hausser les épaules et continuer à tapocher sur le bord du banc.

Après, la sœur de Saja est arrivée, puis Mélo avec Jonathan et le père de Mélo. Je regardais mon père du coin de l'œil et je me sentais drôle. Il s'est approché pendant que ma blonde parlait avec sa sœur et m'a dit :

— Je suis content pour toi, Fred. Je sais que c'est important dans ta vie, tout ça, et je te souhaite que ça se passe bien.

Il n'a rien dit d'autre, mais c'était assez pour que je sois surpris qu'il sache à quel point la musique prenait de la place dans ma vie et combien cette soirée comptait. On est devenus comme gênés tous les deux, et mon père est retourné avec ma mère au moment où le père de Mélo nous faisait signe de nous approcher. Il nous a tous serré la main et nous a remerciés d'avoir accepté de jouer. Comme s'il ne savait pas que c'était lui qui nous faisait une faveur ! Je l'ai trouvé plus que correct. Il nous a dit que la salle était pleine, que c'était le temps d'y aller. Enfin.

On s'est tous regardés : on était prêts, confiants, nerveux, excités. Pas besoin de se le dire : c'était écrit dans nos faces. Je ne me souviens plus qu'on ait marché vers la scène, monté l'escalier. Je n'ai aucun souvenir de m'être assis sur mon tabouret. Juste d'avoir regardé Oli, d'avoir compté avec mes baguettes jusqu'à quatre, puis d'avoir commencé à jouer. Quand Sarah-Jeanne a commencé à chanter, je pense que j'étais bandé. Depuis quand ? Sais pas. Pas grave. J'étais là, plus concentré que je ne l'avais jamais été de ma vie, dans ma bulle. Mais en même temps, c'était comme si je voyais et j'entendais tout avec une clarté presque exagérée. J'étais déjà en sueur après la première chanson. Normal : les spots étaient chauds et l'adrénaline faisait le reste. On voyait juste les premières rangées de la foule, mais on sentait le reste, l'énergie, les applaudissements. C'était fou.

J'étais dans un autre monde quand, entre deux changements d'éclairage, j'ai vu Sébastien Beaudry tout à coup, en avant du *stage*, avec une fille que je ne connaissais pas vraiment, une rousse que j'avais vue au party d'Halloween. Elle était difficile à manquer, c'était vraiment une belle fille. Elle m'avait paru trop « normale » pour être avec un gars comme Sébas, mais je ne la connaissais pas, au fond, je ne pouvais pas savoir quel genre de fille c'était. Yannick aussi était là, avec une blonde qui avait le même style cheap que les jupettes. J'ai eu peur que Saja et Julianne soient dérangées de les voir là, mais je m'en faisais pour rien. Elles ont continué à jouer et à chanter comme si elles ne les avaient pas vus. J'étais super fier d'elles. Sébas a levé sa bière en nous regardant, comme un salut. Je ne sais pas qui il regardait au juste, mais j'ai pensé que c'était ma blonde et j'ai eu envie de lui sauter dessus, en tout cas, pendant un très court moment. Après, il a embrassé la fille rousse qui était avec lui, comme s'il voulait faire son show, lui aussi. Con. La fille n'avait pas l'air de l'apprécier plus qu'il le faut, mais je m'en foutais. Je regardais Saja qui s'est retournée, m'a regardé dans les yeux et m'a souri sans sauter une seule note. Je ne m'étais pas rendu compte à quel point j'avais besoin de ça. Tout de suite après, Julianne et elle se sont regardées et se sont fait des sourires complices. Sébas est reparti en marchant vraiment croche. Maudit cave.

Je l'ai oublié en une fraction de seconde et j'ai continué à faire ce que je n'avais jamais arrêté de faire : jouer le meilleur show de ma vie.

CHAPITRE 18

Une nuit incroyable

On s'est fait applaudir comme je n'aurais jamais osé l'espérer. Tout le monde sifflait, criait. On les avait impressionnés. C'était impossible de décrire le sentiment. Je pensais que j'allais exploser tellement je tripais et étais excité, mais en même temps, c'était comme si je flottais au-dessus de tout ça. On est descendus de la scène, et Sarah-Jeanne s'est jetée dans les bras de sa sœur qui l'attendait. Elles pleuraient toutes les deux dans les bras l'une de l'autre. On est tous retournés dans la loge et mes souvenirs ne sont pas très précis. J'avais chaud, j'embrassais Saja. Tout le monde était énervé, excité et nous disait qu'on avait fait un show parfait. J'étais pas mal d'accord. Pas d'incident, de fausses notes ou de cordes de guitare cassées, rien. On avait enchaîné les tounes comme à nos meilleures pratiques. Oui, je pense que c'était pas pire.

On aurait pu rester là à se péter les bretelles, mais on voulait aller voir le show de Hors La Loi. Après que Julianne, Simon-Pierre et Olivier sont allés ramasser leurs instruments, on est allés se chercher une bonne place pour regarder le spectacle. Les gars de Hors La Loi nous ont vus et ont dit :

— Ouais, merci ! Vous les avez bien réchauffés ! Pourvu qu'on les refroidisse pas trop !

C'était bizarre. Plein de personnes nous accostaient, nous félicitaient, nous amenaient de la bière. On aurait pu aller en arrière de la scène pour voir le band jouer, mais on avait envie d'être dans la foule. C'était un trop beau trip. Ma blonde était collée sur moi et j'avais l'impression que ce qu'on venait de vivre ensemble nous rapprocherait encore plus. Juste à la voir, je savais que pour elle aussi, ce spectacle avait été une étape, un gros pas en avant. Et parce que ça avait si bien été, elle était aussi encouragée que moi. Tout ce que je voulais, c'était me coller encore plus contre elle. J'étais tellement amoureux d'elle, à ce moment-là, qu'il fallait que je le lui dise :

— Je t'aime, Saja. Je t'adore. Je t'admire. Tu chantes comme une déesse, et t'en as aussi l'air...

Elle allait m'embrasser quand la voix pâteuse de Sébastien qui gueulait nous a fait comme une douche froide. Il était soûl, c'était clair, très, très soûl :

— Tiens, tiens. Fred. Tu m'avais caché tellement de choses ! Ça t'amuse de monter un band avec nos *rejects* ? C'est vrai que c'était pas pire comme show, dans le genre un peu *dark*, mais quand même... Pis là, t'aimes les petites fi-filles, astheure ? Eh bien ! *Man*, amuse-toi ! De toute manière, on a vu ce qu'y avait à voir avec ces deux-là, on te les laisse!

J'ai senti tous les muscles de mon corps devenir raides d'un coup. Je voulais juste lui remettre mon poing dans le visage, le prendre à la gorge et serrer jusqu'à … bin, jusqu'à ce qu'il s'écrase. Je pense que je tremblais, j'essayais de compter dans ma tête pour me calmer, mais je n'y arrivais pas. C'était son sourire con, baveux : je voulais le lui faire avaler. Je sentais le bras de Sarah-Jeanne qui serrait le mien, mais rien d'autre. Jusqu'à ce qu'Oli dise à Sébas :

— Écoute, je pense que t'es peut-être pas dans un état pour parler à qui que ce soit de quoi que ce soit. Fais de l'air, OK ?

C'était comme si je sortais d'une espèce de transe. Sébastien a regardé Olivier. Il se tenait tout croche. Il a pris la fille rousse par le cou et il est reparti avec Yannick ; une main nous faisait un *finger*, l'autre flattait une des fesses de sa blonde. Elle avait l'air d'essayer de s'éloigner de lui, mais elle est quand même partie avec eux. On ne les a pas revus de la soirée.

Sarah-Jeanne a pris Julianne dans ses bras, et c'est juste là que j'ai vu que Julianne avait l'air de ce que je devais avoir l'air moi-même : raide comme une barre, les poings serrés, les yeux crispés, le regard méchant. Saja lui a dit :

— Ne le laisse pas gâcher cette soirée, Julianne, pas ce con.

— Non, ne t'en fais pas. Je le laisse rien gâcher du tout.

Elle avait raison, et la remarque s'adressait à moi aussi. Saja est revenue dans mes bras et je l'ai serrée contre moi. Fort. Hors La Loi a commencé à jouer et je n'ai plus pensé à Sébas.

* * *

Après le dernier rappel de Hors La Loi, la mère de Sarah-Jeanne est venue nous voir avant de partir. Elle a fait un câlin à ma blonde, et elles se sont parlé un peu. Avant qu'elle nous quitte, je lui ai dit :

— Ne vous inquiétez pas, je vous la ramènerai saine et sauve et avec toute sa tête. Vous pouvez compter sur moi !

— Je sais, Frédérick. Je te fais confiance… Pas de niaiseries, hein ?

Je trouvais ça drôle. Saja n'était pas du genre à faire des niaiseries, mais il me semblait que c'était le genre de phrase que les mères disent tout le temps.

Je ne sais pas trop pourquoi, mais Saja pleurait. Trop d'émotions, sûrement, mais une belle excuse pour que je sois obligé de la consoler. On ne savait pas trop ce qu'on avait envie de faire. Je n'avais pas le goût que la soirée finisse, mais en même temps, j'étais crevé, vidé et j'avais envie d'être avec Sarah-Jeanne, c'était tout ce que je savais. Olivier et

Simon-Pierre voulaient aller prendre une bière dans un bar. Julianne, elle, était tannée du bruit et de la foule.

Ma blonde ne savait pas trop. Elle était aussi fatiguée que moi, mais excitée en même temps, comme si elle ne touchait pas encore à terre. Olivier a suggéré qu'on aille écouter l'enregistrement du show chez lui, mais Saja n'en avait pas envie, et moi non plus. Besoin d'un break, de relaxer un peu. Le band est donc venu chez moi, Mélo et Jonathan aussi, question de *chiller* un peu. On a jasé de toutes sortes d'affaires, mais c'était comme si tout le monde avait la tête ailleurs. Passé minuit, Oli et Simon-Pierre sont enfin partis prendre leur bière. Julianne en a profité pour qu'ils la reconduisent chez elle, et Mélo et Jo ont décidé de partir aussi. Peut-être que Mélo savait qu'on voulait la paix, et j'étais content qu'ils s'en aillent même si je savais que les deux amies auraient aimé rester ensemble encore un peu. Tant pis. On était seuls tous les deux. Enfin.

Quand j'ai pris Sarah-Jeanne dans mes bras, c'était comme si elle voulait entrer dans moi, en dessous de ma peau. Elle me serrait fort, je sentais les battements de mon cœur contre elle et je me sentais bien. Je n'osais pas trop espérer, mais je voulais la déshabiller, la toucher, sentir ma peau sur la sienne. Tellement que ça me faisait mal. Mes mains se promenaient sur elle et j'étais dur comme du fer. Je l'aimais vraiment, ma blonde.

— Chante pour moi…

Elle a chanté. Je pense qu'elle chantait n'importe quoi et c'était beau. Elle m'a regardé et j'ai compris qu'elle voulait qu'on partage autre chose, que cette soirée soit comme… complète. Je l'ai aidée à enlever ses vêtements. Chaque fois que je touchais sa peau, je frissonnais et ma queue durcissait encore. Je lui caressais le cou, je la massais, j'en avais jamais assez de la toucher. On s'est embrassés et elle a été obligée d'arrêter de chanter. Pas grave. Sa langue s'enroulait autour de la mienne, sa bouche était chaude, douce.

Je sentais qu'elle était un peu nerveuse. Je m'y attendais. Ce serait sa première fois, j'étais content que ce soit avec moi et je voulais que ce soit bon pour elle. Mais j'étais tellement excité que j'avais peur d'aller trop vite, de pas pouvoir me retenir assez longtemps. Couchés ensemble dans mon lit, tous les deux nus, c'était pire. Je lui aurais sauté dessus, carrément. Sa main est descendue entre mes jambes et m'a caressé. Chaude, sa main. J'arrêtais pas de lui dire que je l'aimais, que j'étais bien, j'avais l'impression de dire n'importe quoi et peut-être que je disais rien, au fond, je sais plus. Je voulais la voir, la regarder et je me suis relevé à moitié. Elle est devenue toute rouge, gênée. Mais je savais qu'il fallait que je sois sûr que c'était ce qu'elle voulait, qu'elle soit sûre, elle aussi, surtout.

— T'es tellement belle. Est-ce que t'es bien certaine que c'est ce que tu veux ?

— Je n'ai jamais été aussi certaine de quoi que ce soit.

Je l'ai embrassée. Fallait que je me calme, c'était trop bon. J'ai embrassé ses seins, je les ai léchés, son ventre aussi. J'étais comme affamé de sa peau, je voulais goûter chaque morceau d'elle. J'ai écarté ses cuisses, super doucement, mais elle a sursauté quand même. Je l'ai caressée, je voulais être doux, je voulais qu'elle soit aussi excitée que moi. Je savais qu'elle avait peur un peu. Que ça fasse mal, surtout, mais d'autre chose aussi. Peur de ne pas savoir quoi faire. Je ne voulais pas qu'elle s'inquiète, juste qu'elle se laisse faire. Quand j'ai mis ma bouche entre ses cuisses, elle a fait un petit bruit. Ce n'était pas de la douleur ni de la peur, non : elle se détendait enfin. Elle avait l'air d'aimer ce que je faisais, alors j'ai laissé ma langue se promener sur elle et j'ai regardé sa peau frissonner. J'aimais ce qu'elle goûtait. Je sentais que ce n'était pas juste ma salive qui la rendait aussi humide et j'étais content, mais plus dur que jamais. C'était comme si ma queue ne m'écoutait plus. Elle voulait juste aller là où ma bouche avait ouvert le chemin.

Je l'ai embrassée et je me suis couché sur elle. Je faisais des efforts incroyables pour me retenir de juste entrer en elle, d'un seul coup, le plus loin possible. Pas évident. Elle a remarqué que je me battais contre moi-même et s'est inquiétée :

— Est-ce que ça va ?

— Euh, oui ! Bien sûr que ça va ! C'est juste que… je veux pas aller trop vite, mais lui, il veut ! Et je sais pas combien de temps je pourrai le faire attendre.

— Eh bien, t'es pas obligé de le faire attendre.

Bon. Si elle insistait… Je l'ai caressée encore et j'ai glissé un doigt en elle pour la préparer un peu. Je l'ai sentie se contracter. Je lui ai demandé, inquiet à mon tour :

— Je t'ai fait mal ?

— Non ! Oui ! Non, c'est juste… bizarre. Bizarre, mais bon…

Pendant qu'il me restait encore un peu de lucidité, il me fallait un condom. Je savais qu'elle prenait la pilule, mais je ne voulais pas prendre de chances, et elle non plus. J'ai commencé à le mettre en essayant de ne pas avoir l'air trop pressé, mais elle m'a demandé de lui montrer comment faire. Je l'ai aidée à le placer, et elle l'a déroulé lentement, comme si elle avait peur de faire un faux mouvement. Elle ne se rendait pas compte à quel point sa main m'excitait…

— Ahhh ! T'es dure avec moi !

Je l'ai embrassée et je me suis glissé sur elle. J'étais là, entre ses cuisses, impatient mais hésitant en même temps. J'ai poussé un peu. J'avais peur de lui faire mal : je me sentais gros comme je ne l'avais jamais été. À ma grande surprise, c'est elle qui s'est poussée en moi et j'ai enfin senti l'intérieur de son corps, sa chaleur, sa douceur. J'étais enfin aussi collé que je voulais l'être depuis longtemps.

J'étais tellement excité que je savais que tout ça ne durerait pas bien longtemps. J'essayais de ralentir, mais je voulais juste aller plus loin, plus vite. J'embrassais ma blonde et c'était encore plus difficile de me contrôler. Après... eh bien, j'ai plus été capable et même si je sentais que Sarah-Jeanne était de plus en plus détendue, moi, j'en pouvais plus. J'ai joui malgré moi en me disant que je ferais mieux la prochaine fois, en espérant qu'elle ne soit pas trop déçue. Et dire que c'était elle qui avait eu peur de me décevoir ! Je me sentais mal. J'aurais voulu que ça dure des heures. Elle n'avait sûrement pas eu le temps de ressentir grand-chose ! Elle était dans mes bras, on reprenait notre souffle et c'est sorti tout seul :

— Excuse-moi, j'ai pas pu me retenir plus longtemps. Tu m'excites trop, j'avais tellement hâte. J'espère que t'es pas trop déçue...

Comme réponse, elle m'a embrassé et s'est serrée encore plus contre moi. J'ai glissé ma main entre ses cuisses et je l'ai caressée, essayant de me reprendre. Sa peau était comme de la soie et c'était mouillé, là, en bas. J'ai glissé un doigt en elle, puis un autre, et j'ai continué à la caresser. Tout à coup, elle a sursauté. Ses jambes sont devenues toutes raides et elle a eu le réflexe de serrer les cuisses sur ma main. Après quelques instants, elle est devenue toute molle. J'étais content et un peu fier, quand même. Assez évident que je venais de la faire jouir. Je me sentais un peu pardonné ! Elle avait les yeux fermés et j'ai vu de petites larmes s'en échapper. Je ne comprenais pas trop pourquoi elle pleurait, mais elle m'a regardé avec tellement d'amour que ça m'a rassuré.

— Excuse-moi, me semble que je pleure beaucoup ce soir ! Ouf... c'était... euh...

— Laisse faire, fais juste en profiter, OK ?

Je l'ai embrassée et je n'aurais voulu être nulle part ailleurs. Elle non plus, je pense.

Cool.

CHAPITRE 19

Comme dans un film

Comme on le pensait, le Festival nous a donné plein de belles chances. Le directeur de l'école de Sarah-Jeanne nous avait vu jouer et nous avait demandé si on pouvait faire partie du spectacle de fin d'année. On a dit oui, évidemment. Julianne avait décidé qu'elle n'irait pas à son bal de finissants ; elle disait que faire un show serait son bal de finissants à elle. Je la comprenais. Même si Simon-Pierre s'était arrangé pour lui laisser savoir qu'il l'accompagnerait avec plaisir, elle n'avait pas envie de se retrouver là et je la comprenais. Je savais qu'elle se battait encore contre ses vieux démons et qu'elle se posait la même question chaque fois qu'elle croisait un gars, qu'elle se demandait s'il avait profité d'elle, lui aussi. Ça devait être vraiment difficile à endurer. Son courage m'impressionnait. Simon-Pierre m'a demandé ce que je pensais :

— Penses-tu que j'aurais une chance avec elle ?

J'ai pris un moment avant de répondre. Je ne voulais pas décourager mon bassiste, mais il fallait que je sois honnête :

— D'après moi, t'as pas grandes chances, en tout

cas pas tout de suite, mais pas parce que c'est toi. Personne n'aurait de chances avec elle. Elle m'a dit que l'idée de sortir avec quelqu'un, de se faire toucher par un gars, lui donnait mal au cœur.

— Si pire que ça, hein ? Je voudrais pas rencontrer le ou les salauds qui l'ont mise dans cet état-là, j'te jure. J'peux pas croire qu'il y a du monde aussi fucké.

— T'as pas idée. J'aurais tellement voulu qu'elle ait pas à vivre ça ou qu'elle fasse quelque chose, je sais pas quoi. Qu'est-ce qui va finir par la guérir ? Le temps ? Peut-être.

Simon-Pierre a donc décidé d'attendre un peu, mais il m'a dit qu'il dirait probablement à Julianne qu'elle l'intéressait beaucoup et que si elle voulait, il pourrait être plus qu'un ami pour elle. Pas de pression, qu'il m'a dit, et je savais qu'il était capable de faire ça comme il faut.

On a continué de progresser sans qu'il se passe quoi que ce soit d'important. Mais juste un peu avant que l'année scolaire finisse, une nouvelle s'est mise à circuler. Ça m'a sérieusement donné envie de bûcher sur quelque chose d'autre que mon drum. On a su que le soir du Festival, pendant que ma blonde et moi, on vivait un moment décisif que je n'oublierais jamais de toute ma vie, la fille qui était avec Sébastien, une certaine Élysabeth, vivait elle aussi quelque chose qu'elle n'oublierait probablement jamais, mais pas pour les mêmes raisons.

À l'école de Saja, les rumeurs disaient que Sébastien et Yannick l'auraient forcée à faire des choses que je pouvais trop facilement imaginer. Ils étaient complètement soûls et probablement gelés aussi, ce soir-là, et je savais ce qu'ils étaient capables de faire quand ils étaient dans cet état-là. Il paraissait que Sébas et Yannick avaient été pas mal brutaux avec elle.

Ça lui avait pris plusieurs semaines avant de raconter à ses parents ce qui s'était passé, et ils avaient appelé la police. La fille avait porté plainte contre les deux gars et là, il y avait une enquête.

J'étais dégoûté mais soulagé de voir que peut-être ils se feraient enfin arrêter. Je pensais que Julianne, elle, serait contente. Elle m'avait déjà dit : « On récolte toujours ce qu'on sème », et c'était pas mal ce qui se passait ! Mais elle n'était pas contente. En fait, elle est devenue toute sérieuse, peureuse, comme une souris prise dans un coin avec un gros matou qui la regarde. Elle est redevenue la Julianne de l'été d'avant, renfermée, pâle, celle qui se cache en arrière de ses cheveux.

La dernière journée d'école, son dernier jour de secondaire, Julianne nous a dit qu'elle partait faire un voyage. Elle disait qu'elle rêvait depuis longtemps de partir dans les Rocheuses toute seule. On savait qu'elle avait besoin d'aller prendre de l'air ailleurs, et je pense que les derniers événements ont fini par la décider.

Elle est partie pendant un peu plus d'un mois, en solo avec son sac à dos. Saja et moi, pendant ce temps-là, on a profité de l'été et on a essayé de passer le plus de temps possible ensemble. En attendant que Saja puisse venir vivre avec moi, je lui ai donné une clé et elle venait souvent m'attendre à la maison. Ça faisait presque comme si on était un « vrai » couple qui vivait en appart même si elle n'avait pas encore la permission de passer la nuit avec moi. On travaillait là-dessus avec ses parents…

En attendant, Sarah-Jeanne et moi, c'était le bonheur. On était plus proches que jamais et je l'aimais comme un fou. Depuis cette première fois, on a appris à se découvrir, et les soirées passées chez moi étaient… assez incroyables. De temps en temps, on parlait de vivre ensemble et, même si je savais que ce n'était pas pour tout de suite, je me disais que c'était bien possible. Je me voyais rester avec elle pendant super longtemps, et ça avait l'air d'être la même chose pour elle. Même si je travaillais toujours autant, ça a été un été magique avec elle, rempli de soirées collées, de projets excitants et de plein de beaux moments.

Quand Julianne est revenue, elle était complètement transformée. Sarah-Jeanne avait invité le band et quelques amis chez elle pour fêter son retour. Là, Julianne nous a raconté tout ce qu'elle avait vu, tout le monde qu'elle avait rencontré :

— Des jeunes, des moins jeunes, toutes sortes de monde à qui j'aurais probablement jamais parlé si je les avais rencontrés ici, dans ma zone de confort. Mais là-bas, loin de chez nous, loin de vous autres, c'était pas pareil, j'étais comme plus fragile mais plus ouverte en même temps... Y a plein de monde qui m'ont aidée sans même s'en rendre compte ni rien attendre en retour. Des petites affaires comme trouver un endroit pour dormir ou les plus beaux paysages à voir et comment y aller. Mais d'autres choses, aussi, comme de me parler de leur vie. J'ai entendu des histoires drôles, d'autres, tristes ou épouvantables. Des jeunes qui ont réussi à passer par-dessus des drames affreux ou des épreuves vraiment dures...

Sarah-Jeanne s'est approchée d'elle et l'a prise dans ses bras. Julianne avait les larmes aux yeux, mais ce n'était pas de la tristesse. Ça ressemblait à de beaux souvenirs, émouvants plus que douloureux. Elle a continué :

— J'ai plein d'amis un peu partout. Si je repars, je vais avoir plein d'endroits où aller, de bon monde à voir.

Son sourire était beau à voir, et j'ai réalisé que

c'était probablement parce que je ne l'avais pas vu depuis longtemps. J'avais l'impression que c'était une nouvelle fille, comme si enfin, elle faisait confiance à l'avenir. J'ai remarqué qu'elle regardait beaucoup Simon-Pierre pendant qu'elle parlait et je me demandais si elle n'était pas en train d'essayer de lui dire qu'elle commençait à lui faire confiance, à lui aussi. Elle ne le disait pas directement, ça aurait été trop simple... mais même si c'était juste une impression, j'espérais que c'était le cas.

Quand on a été seuls avec elle, Sarah-Jeanne et moi, elle nous a demandé s'il y avait du nouveau au sujet de l'enquête sur Sébas. Saja a répondu le peu qu'elle savait :

— J'en sais pas grand-chose, que des rumeurs... Il paraît que les deux gars auraient dit qu'Élysabeth n'avait jamais dit qu'elle n'était pas d'accord, que c'était même elle qui avait tout proposé, tu sais, le baratin. Et comme elle a attendu plusieurs semaines, il n'y a pas de rapport médical.

— Élysabeth ? Tu la connais ?

— Pas tellement, mais Mélo la connaît. Elle va à l'Académie Sainte-Croix et sa mère est une amie de la mère de Mélo. En tout cas... ça n'avance pas tellement vite.

— Ouain, c'est bien ce que je pensais. Sa parole contre la leur.

Julianne était comme plongée dans ses pensées. Après quelques minutes de silence, elle a regardé ma blonde dans les yeux et lui a dit :

— Saja, j'aurais une faveur à te demander…

Elle voulait que Sarah-Jeanne aille avec elle au poste de police. Toute cette histoire d'enquête, le fait qu'une autre fille avait vécu la même chose qu'elle et avait eu le courage de dénoncer les deux gars lui donnait la force d'en faire autant. Elle m'a regardé, moi aussi, et je devinais bien ce qu'elle n'osait pas me demander. Je lui ai dit tout doucement :

— Je t'ai offert combien de fois, au juste, d'y aller et de dire ce que je savais ?

Sarah-Jeanne pouvait seulement être un support moral, mais moi, j'avais enfin la chance de faire quelque chose d'utile. J'ai senti que Julianne était contente et soulagée. Moi aussi.

On verrait bien…

* * *

Ça a été assez difficile au poste de police, mais Julianne m'a impressionné. Elle a raconté son histoire à plusieurs personnes, a beaucoup pleuré, mais a gardé la tête haute. Moi, j'ai fait ma part en répétant ce que je savais à ceux qui avaient besoin de savoir.

Tout le monde a été super correct, on s'est sentis écoutés et la femme qui s'occupait du dossier nous a dit que le geste qu'on posait en dénonçant les agresseurs faisait une grosse différence. C'était cool, comme impression. Je ne me pardonnais toujours pas de ne pas avoir pu empêcher le drame de se produire, mais je sentais enfin que je me rachetais un peu. Après ça, il ne nous restait plus qu'à attendre la suite de l'enquête.

Julianne a fini par tout raconter à son père et à sa cousine Maude. Évidemment, ils étaient en colère, son père voulait les tuer, mais au moins, on savait que c'était une question de jours, d'heures, peut-être, avant que les deux malades soient enfermés, et moi, en tout cas, ça me faisait du bien. La démarche avait été difficile pour moi, alors je pouvais très bien m'imaginer à quel point ça avait dû être infernal pour Julianne de tout revivre. J'étais content que ma blonde ait été avec elle. J'aurais pu être le seul à accompagner Julianne, mais la relation qu'on avait, elle et moi, était complexe. Même si on était proches, je pense que Sarah-Jeanne était plus capable que moi de la soutenir. Malgré tous mes efforts, je ressentais beaucoup de colère, alors que j'étais incapable de savoir exactement ce qui se passait dans la tête de Julianne. Sauf que j'espérais qu'elle était aussi soulagée que moi.

Frédérick

Ma blonde a écrit une lettre à Élysabeth, la fille qui avait porté plainte contre Sébas et Yannick. Elle est comme ça, Saja. Elle voulait que la fille sache que ce qu'elle avait fait avait poussé Julianne à faire ce qu'elle aurait dû faire bien avant. Julianne aussi voulait la remercier d'avoir eu le courage de dénoncer les gars et s'excuser de ne pas l'avoir fait elle-même plus tôt. C'est comme ça qu'Ély a commencé à se tenir avec nous autres.

Au début, je n'étais pas si sûr que ce soit une bonne chose qu'on la côtoie. Je me disais qu'il y avait eu bien assez de drames dans notre petite gang pour qu'on n'en ajoute pas d'autres en plus. Ça, c'était avant de la connaître. J'ai vite compris qu'au-delà de ce qu'elle avait vécu, ou peut-être à cause de ça, précisément, c'était une fille spéciale, et je trouvais qu'elle était à sa place avec nous autres. Il y avait définitivement un lien particulier entre elle, Julianne et ma blonde. Un lien qui me dérangeait parce que toutes les trois avaient eu affaire au même salaud, mais qui en même temps leur faisait tellement de bien que j'étais obligé de le respecter. Je me sentais un peu exclu, mais au fond, ça ne me regardait pas tant que ça. L'important, je trouvais, c'était que les filles aient fait la bonne chose et qu'elles ne le regrettent pas. Personne ne le regrettait. Après, il y a eu l'accident.

Les policiers se sont présentés chez Sébastien et Yannick pour les arrêter, mais les deux gars n'étaient pas là. Ils devaient être en train de faire le party quelque part. Comme d'habitude, ils devaient avoir exagéré sur les *shooters* parce que Sébas, qui roulait trop vite et a passé sur une lumière rouge, a foncé dans un camion. Ils étaient quatre dans l'auto : Sébas et Yannick, avec deux filles. On ne savait pas grand-chose, seulement qu'ils étaient tous blessés, et les deux gars assez gravement. Ça nous a fait un choc. Malgré moi, je n'étais pas fâché. Je savais que c'était méchant, mais je ne pouvais pas m'empêcher de me dire que ça serait arrivé un jour ou l'autre sauf qu'avec tout ça, l'enquête attendrait. On avait des nouvelles de temps en temps, et ce n'était pas évident. Sébas était le plus amoché ; il avait été éjecté de l'auto et apparemment était cassé de partout. Yannick aussi, d'ailleurs. Une des deux filles avait eu pas mal de fractures et la dernière, presque rien, ce qui était presque un miracle.

J'essayais d'imaginer ce qui se passait dans leurs têtes, aux deux gars. Je me demandais si Sébas se sentait coupable, mais le connaissant, je le voyais plus se plaindre, surtout s'il était aussi magané que plusieurs le racontaient. En quelques jours, des rumeurs se sont mises à circuler : on racontait qu'il était paralysé, défiguré. Ouf. Ça me faisait drôle. Je trouvais qu'il le méritait, quelque part, mais c'était quand même *heavy*. Je ne savais pas comment je me sentirais, à sa place... Pas tellement bien, sûrement.

Puis, juste avant que les cours reprennent, il y a eu un autre drame : Yannick est mort. Les filles se sont fait expliquer que c'était à cause de toutes ses blessures. Il ne s'était jamais réveillé après l'accident. Ça voulait dire plusieurs choses, entre autres, que les accusations contre Sébastien seraient plus graves parce qu'il aurait causé la mort de quelqu'un. En plus du reste, il était assez creux dans le trouble, mais je n'arrivais même pas à avoir pitié.

C'était difficile de croire que Yannick était vraiment mort. Lui qui était aussi toffe, à qui rien ne pouvait arriver, il commençait déjà à pourrir quelque part. Ça me levait le cœur et j'avais l'impression d'être dans un film. Je n'arrêtais pas de penser que je l'avais quand même côtoyé assez longtemps et souvent, mais je n'avais aucune idée de comment il était, à quoi il pensait. C'était un gars qui ne disait presque jamais rien, comme si c'était une perte de temps, et qui avait toujours l'air soit de s'emmerder, soit de se foutre de tout et de tout le monde. Je me demandais si c'était réellement ça ou si c'était une image qu'il se donnait. Je ne le saurais jamais et ça ajoutait au sentiment d'irréalité de toute l'histoire.

Je ne voulais plus tellement entendre parler de

toute l'histoire et j'avais juste hâte que les cours recommencent. Je voulais ma routine tranquille. J'en avais assez d'entendre juste parler de ça. Moi qui pensais que le pire était passé, que la suite allait se tasser avec Sébas qui finirait sûrement en prison, j'étais sérieusement dans le champ. Après plusieurs opérations, Sébastien était retourné chez lui en attendant la suite. D'autres opérations étaient prévues et des mois de réadaptation, sinon des années. C'était de plus en plus clair qu'il finirait ses jours en fauteuil roulant et je me demandais comment il pouvait prendre tout ça, comment je le prendrais moi-même. Je ne savais pas si je serais capable de l'accepter, mais quel autre choix y avait-il? Je l'ai appris en même temps que ma blonde et ses amis et quand on a su qu'il avait choisi le suicide, je pense que ça m'est rentré dedans encore plus que la mort de Yannick. Il y avait eu un article dans le journal, la semaine précédente, où la mère de Sébas disait combien son petit gars souffrait, qu'il avait assez payé, qu'il resterait paralysé toute sa vie, que ce n'était pas juste qu'il soit accusé de plein d'affaires en plus d'être obligé de se voir handicapé. Bin oui, pauvre petit. J'avais pas tellement pitié, j'étais juste pas capable d'imaginer Sébas avoir des remords. Peut-être que je me trompais, mais je ne le saurai jamais. Un soir, il a pris un coup solide avec son frère et il a avalé un paquet de pilules par-dessus. Ses parents l'ont trouvé mort dans sa chambre. Je l'imaginais, la face toute bleue, puant, et j'en rêvais la nuit. Je trouvais qu'il avait manqué de couilles, qu'il avait été trop peureux pour faire face à ce qui l'attendait.

Les filles étaient tout à l'envers. Elles n'arrêtaient pas d'en parler, et je n'arrivais pas à savoir si elles étaient contentes, soulagées, choquées, écœurées ou tout ça en même temps. C'était un peu trop d'action en quelques semaines, trop d'affaires à digérer, et elles m'énervaient à essayer de tout comprendre, tout analyser. Selon moi, Sébas et Yannick étaient deux cons, deux imbéciles de la pire espèce, et ils avaient juste eu ce qu'ils méritaient. Ça ne servait à rien de s'éterniser là-dessus. Je laissais les filles parler et je ne m'occupais pas trop d'elles, mais elles avaient l'air obsédées.

OK. Est-ce qu'on peut tourner la page, là? Pas encore, en tout cas, pas Julianne. Autant les autres parlaient, autant elle se taisait. Elle se renfermait et je comprenais mal pourquoi. Il me semblait qu'elle aurait dû, plus que n'importe qui, profiter de cette fin-là pour décrocher, mais ce n'était pas le cas et ça m'inquiétait. Un soir où je la ramenais chez elle après une pratique, je lui ai demandé comment elle allait. Comment elle allait *vraiment*. J'espérais qu'elle me dirait que tout était beau, qu'elle était peut-être juste un peu secouée, mais qu'elle voulait passer à autre chose. Ce n'est pas du tout ce qu'elle m'a dit :

— Ça va pas, Fred. Je veux pas en parler aux autres parce que même si elles sont super fines, elles peuvent pas comprendre. Ce que Sébas et Yannick m'ont fait, j'ai peur de jamais être capable de passer par-dessus. Y a des jours où j'ai plus envie de me battre, je voudrais juste dormir pour oublier, mais ça marche pas. Ça fait plus qu'un an, imagine ! Quand j'ai décidé de les dénoncer, je me disais que ça me donnerait enfin la paix. Que je tournerais une page, que de savoir qu'ils auraient à payer me ferait du bien. Là, c'est comme si on m'avait volé cette chance-là. Ils ont payé, oui, mais même pas pour ce que je voulais. Tu dois rien comprendre, hein ?

Je n'étais pas sûr, mais quelque part, oui.

— T'aurais voulu qu'ils regrettent, qu'ils s'excusent, peut-être ?

— Oui, j'pense. En fait, d'après moi, ils ont jamais réalisé pour vrai ce qu'ils avaient fait. Je suis sûre qu'y a beaucoup de gars qui comprennent pas ce que ça fait. Ils pensent au cul, ils se disent qu'on aime ça autant qu'eux, que c'est ça qu'on veut...

— Mets pas tous les gars dans le même panier !

— Non, je sais. Ce que je veux dire, c'est qu'il y en a beaucoup qui pensent qu'y a rien là. Que si on a déjà couché avec quelqu'un, c'est pas grave avec qui on le fait après ou comment. Que c'est juste physique. Mais non, c'est pas juste physique. Y a quelque chose de plus personnel pour les filles, c'est pas séparé de la tête pantoute. Pour moi, y a eu plus que du cul, y a eu de la saleté, des insultes, la pire humiliation possible. C'est comme si j'avais été un corps sans sentiments, un objet pas important, juste un trou pour se vider, comme si j'étais *rien*. Pire que rien. Comme si je méritais qu'on me pile dessus, qu'on me crache dessus, dedans. Un morceau de viande pourrie. Sais-tu comment c'est, se sentir de même?

Elle pleurait et je ne savais pas quoi dire. Grâce à mon père, je savais comment c'était, se sentir humilié, pas important. Ça n'avait rien à voir et même si je pouvais un peu imaginer, je ne pouvais pas savoir, non. Elle avait raison et personne ne méritait ça. Elle a pris une pause avant de continuer.

— J'ai eu tellement mal, Frédérick. Mal partout, en dedans et en dehors. Faudrait que les gars comprennent un jour que quand on se donne, on se donne vraiment à fond, mais quand on veut pas, c'est pas juste nos jambes qui se serrent, c'est tout, notre cœur pis notre tête aussi. J'ai peur de plus jamais être capable de m'ouvrir et t'as pas idée comment ça me tue. Je pense à Simon-Pierre, des fois. Je sais que si c'était pas arrivé, je sortirais probablement avec lui maintenant. Mais je suis même pas capable de l'imaginer en train de me toucher. Juste d'y penser, je revis tout et je veux plus, Fred. Pus capable. Pourquoi c'est si difficile à comprendre pour des gars que la vie, c'est pas comme un film de cul? Que les filles tripent pas toutes comme les jupettes, qu'en fait, les seules que je connais qui tripent de même le font parce qu'elles pensent que c'est comme ça qu'elles vont se faire aimer? C'est pas ça, hein, Fred? Dis-moi que c'est pas ça que tous les gars veulent ou pensent…

Plein de mots se bousculaient dans ma tête. Je voulais lui dire que non, ce n'était pas tous les gars qui voulaient vivre des trips de films de cul, mais que c'était vrai que beaucoup pensaient que c'était supposé se passer de même ou, en tout cas, avaient appris à l'espérer. Que moi-même je ne comprenais pas vraiment la différence pour les filles, pourquoi elles n'étaient pas capables de séparer leur corps de leur tête. Je voulais lui dire que ma blonde et moi, ce n'était pas ça, que les filles comme Alex, je les trouvais ridicules. À la place, j'ai ouvert les bras et elle est venue se coller. Je l'ai serrée fort sans même me demander ce que ma blonde en penserait. Il n'y avait rien à penser. Je n'avais pas d'autre intention que de la réconforter. Ça se pouvait, ça aussi, et même si j'étais un gars et que je n'étais pas capable de lui dire tout ce que je ressentais, je pouvais le lui montrer.

Quelques jours plus tard, Julianne m'a annoncé qu'elle avait rencontré une fille qui travaillait pour un organisme d'aide aux victimes d'agressions sexuelles et qu'elle allait à des rencontres de groupe. Elle pensait que ça l'aiderait et j'étais d'accord. Fallait qu'elle le sorte, qu'elle crache la colère qu'elle traînait comme un boulet, sinon elle deviendrait folle. Le fait d'être entourée de personnes qui avaient vécu des choses comme elle et d'autres qui les écoutaient et les aidaient, ça ne pouvait certainement pas faire de tort, au contraire. Elle m'a demandé de ne pas en parler et j'ai tenu ma parole. Même ma blonde n'était pas au courant. Je me sentais mal au début, mais Julianne a fini par le lui dire et ça m'a soulagé. Sarah-Jeanne m'a même remercié d'avoir gardé le secret de Julianne et d'avoir été là pour elle. OK. Les gars ne voulaient pas tous des trips de films de cul et les filles n'étaient pas toutes des jalouses possessives.

Cool.

CHAPITRE 20

Jérôme

Le cégep a enfin recommencé, une deuxième année qui s'annonçait bien. Notre gang a continué de s'élargir. Après Élysabeth, Saja et Mélo sont devenues amies avec une autre fille, Cassandra, une nouvelle à leur école. Je savais que je l'avais déjà vue quelque part, mais il m'a fallu un bon moment avant de réaliser qu'elle travaillait au resto où on allait souvent prendre des cafés pendant l'été. C'était une belle fille super gênée, mais qui avait l'air, elle aussi, d'avoir traversé des moments assez intenses. Sans avoir nécessairement posé de questions, j'ai appris qu'elle aussi avait croisé le chemin de Sébas et sa gang, de façon pas tellement agréable. Une autre.

Cassandra et Élysabeth venaient nous voir pratiquer, en plus de Mélo et Jonathan. C'était comme nos groupies, mais pas dans le style des jupettes, loin de là! Ély s'amusait à prendre des photos du band. Elle était vraiment excellente. Cassandra, quant à elle, était super discrète: elle restait dans son coin sans faire de bruit. Et Existence continuait d'avancer. Julianne se surpassait avec les chansons et plus tard à l'automne, quand on a su qu'un gros poste de radio organisait un concours de bands, on a décidé d'embarquer. Enfin, on pouvait laisser les drames de l'été derrière nous une fois pour toutes !

J'avais été surpris, au début de ma session, de croiser Jérôme près du cégep. Ce n'était pas si étonnant de le voir là parce qu'il venait au même cégep que moi, mais ça m'a fait réaliser que je ne l'avais pas vu depuis… quand, au juste ? Quelque part au printemps, autour du Festival des arts, je pense. Je me suis souvenu qu'il m'avait laissé quelques messages au cours de l'été, mais je ne l'avais pas rappelé. Je n'avais jamais vraiment été son chum et je me doutais qu'il voudrait me proposer quelque chose, un nouveau band peut-être. J'avais tout ce qu'il me fallait de ce côté-là.

Sur le coup, je ne l'ai presque pas reconnu. Il était maigre, son linge flottait sur lui, mais c'était surtout son regard qui était méconnaissable. Avant, c'était le gars de party, pas démonstratif, mais vivant, au moins. Là, il avait l'air mort, vide. J'ai eu un choc.

Je partais du cégep et il attendait l'autobus. Je me suis arrêté pour lui offrir un lift. Je trouvais ça bizarre qu'il soit à pied, car il me semblait qu'il s'était acheté une auto, lui aussi. Il est monté dans mon auto sans me regarder, comme s'il était gêné. Il m'a demandé si j'étais toujours avec Sarah-Jeanne, si le band avec Julianne marchait toujours. Il essayait d'avoir un ton normal, mais ça sonnait forcé. Moi, je lui ai demandé s'il avait un problème avec son auto, et il m'a dit en regardant par la fenêtre :

— Je l'ai encore, c'est juste que j'ai perdu mon permis. Longue histoire.

C'était clair qu'il n'avait pas envie de parler et je ne voulais pas insister, mais il a continué :

— J'me suis fait prendre à conduire pendant que j'étais gelé comme une balle. C'est con, hein ?

Je ne savais pas s'il voulait dire que c'était con d'avoir conduit gelé ou de s'être fait prendre, et je n'avais pas tellement envie de m'aventurer dans ce genre de conversation. Je n'ai rien dit, c'était plus simple.

— Je sais ce que tu penses, Fred. En fait, t'as raison. C'était vraiment con de ma part. J'en ai fait, des affaires connes pendant les dernières années, et celle-là, c'était pas la pire.

Plein de choses me revenaient en tête. Les partys chez Sébas, les *shooters*, le choix du nom du band. La Saint-Jean. Je sentais qu'il fallait que je dise quelque chose, mais je suis quand même resté vague :

— T'sais, tout le monde en fait, des conneries.

Un silence s'est installé dans l'auto. Ce n'était pas super confortable, mais je ne savais pas quoi dire d'autre. On a fait un bout de chemin de même et quand je l'ai regardé, un moment donné, j'ai presque foncé dans l'auto en avant de moi. Il pleurait. J'étais encore plus mal à l'aise. Je ne savais pas si je devais lui demander ce qui se passait ou faire comme si je n'avais rien vu. Il a dit :

— Je suis content de c'qui est arrivé à Sébas et Yannick.

Sec de même, pas d'hésitation. Il a continué :

— Tu dois trouver que je fais dur, hein ? Je l'ai vu dans ta face, je sais que c'est vrai. Pas grave. C'est parce que j'ai passé deux mois en désintox. Là, j'suis en thérapie, avec un psy. Tu peux rire si tu veux. Avant, ça me dérangeait de le dire, là, j'm'en fous.

Je n'avais pas envie de rire, pas du tout. Il y avait un temps où j'aurais pu le trouver un peu *weird*, mais je ne voyais vraiment pas de quoi rire. J'étais seule-ment surpris qu'il parle autant ; je pense que je ne l'avais jamais entendu faire des phrases aussi longues de ma vie. Je n'avais pas fini d'être surpris parce qu'il a ajouté :

— J'ai voulu t'appeler plusieurs fois, t'sais. Y aurait fallu que je parle à quelqu'un plus tôt. Depuis le party de la Saint-Jean, je peux plus me regarder dans un miroir. C'était plus facile de me geler en me disant que ce qui s'était passé était pas de ma faute. J'me suis tellement gelé que j'ai coulé ma première session de cégep. Mes parents m'ont presque mis à la porte. Ils disent que j'ai fait une dépression, moi, je sais pas trop, mais c'est probablement vrai. Tout ce que je sais, c'est que j'me suis endetté pour acheter de la dope, j'ai commencé à en vendre et j'me suis presque fait prendre. J'ai perdu mon permis. Ce soir-là, j'pense que j'aurais été prêt à foncer dans un mur de ciment si la police m'avait pas collé. Ça faisait un bout que j'y pensais. J'aurais fini comme Sébas, pis ça aurait été correct. Au poste, ma mère m'a dit que si j'allais pas en désintox, je partais de la maison. Je voulais pas, mais j'me rends compte que j'avais pas le choix et que si je l'avais pas fait, je serais mort. Pis là, on dirait que maintenant que j'ai commencé à vider la marde qui m'étouffait, je suis pus capable d'arrêter, mais mon psy dit que c'est une bonne affaire… Il dit que parler, c'est comme le premier médicament…

Si j'avais pu disparaître, je l'aurais fait. J'étais tellement mal à l'aise! C'était pas évident à entendre, tout ce qu'il me disait là. J'avais l'impression qu'il se mettait à nu devant moi et ça me faisait un drôle d'effet. En même temps, j'étais curieux. Moi non plus, je n'avais jamais vraiment parlé de ça à personne à part quand Julianne s'était confiée à moi. Je m'étais toujours demandé ce que Jérôme savait de cette histoire-là. Je l'ai juste regardé sans rien dire en essayant de lui faire comprendre que, même si je ne savais pas trop quoi dire, j'étais prêt à l'écouter. Il me semblait que je faisais ça souvent, dernièrement. Il a compris, je pense, parce qu'il a continué de vider son sac :

— Je sais pas si je vais avoir l'occasion de t'en reparler, faque aussi bien dire ce que j'ai à te dire tout de suite… Je me rendais pas compte que j'me gelais pour oublier combien j'avais été lâche le soir du party. Mes parents savent pas ce qui s'est passé au chalet. Va falloir que je leur dise, un jour. J'allais le faire quand Sébas pis Yannick ont eu leur accident parce que je t'avais vu aller au poste avec Julianne et je devinais qu'est-ce que vous étiez allés faire. Parce que je savais qu'Ély était allée, elle aussi. C'est pour ça que je voulais te parler.

— Tu peux me parler maintenant si tu veux. Tu la connais, Ély ?

— Oui, et j'étais là au motel, le soir où Sébas et Yannick s'en sont pris à elle. J'étais là pis j'ai rien fait, comme j'avais rien fait au party de la Saint-Jean. Je savais ce qui allait se passer, pis je suis parti, comme un lâche.

Si j'étais supposé répondre quelque chose, je ne savais pas quoi. Mais je commençais à comprendre que Jérôme en avait gros sur le cœur, lui aussi, qu'il s'en voulait comme moi de n'avoir rien fait. Deux fois, lui, par exemple. Il y avait de quoi être fucké. Je lui ai quand même dit :

— Moi aussi, j'me sentais mal d'avoir pas pu rien faire, pour Julianne...

— Oui, mais t'as fait quelque chose, toi, au moins !

— Trop tard, c'était trop tard.

— Bin moi, non seulement j'ai rien fait pour les empêcher, mais je les ai regardés faire... pis si j'avais pas été aussi buzzé, j'aurais même participé, moi aussi. T'sais que je suis pas capable de retourner au chalet depuis ?

Oh, *boy* ! Il pouvait pas être sérieux. Vraiment ? On approchait de chez lui et j'avais hâte qu'il descende de mon auto. Je ne voulais pas en entendre plus, sauf qu'il fallait que je sache la vérité. J'ai rien dit pendant les quelques minutes qui restaient avant d'arriver et j'ai arrêté l'auto devant chez lui. J'ai regardé en avant, les mains crispées sur mon volant. Je n'en pouvais plus :

— Tu peux pas vouloir dire c'que je pense, Jé...

— Bin oui, exactement ça. J'étais là, je les regardais faire, Julianne était coma, et moi, avec eux autres, je riais. Peux-tu croire ? Je trouvais ça drôle, pis je bandais ! Quelle sorte de débile ça fait de moi, ça, hein ? C'est quoi qui fait qu'on fait des affaires de même quand on est chaud pis en gang ? Des affaires qu'on sait qui sont pas correctes, débiles, même, mais qu'on les fait quand même ? Y a pas une journée qui a passé depuis sans que j'aie eu envie de vomir, Fred.

La seule raison que j'ai rien fait de pire, que j'ai pas pris mon tour avec Julianne, c'est que j'étais tellement fait sur le Jack, le pot et les peanuts que je bandais pas assez dur.

Je l'ai regardé du coin de l'œil, à la fois écœuré et curieux. Il pleurait toujours, les larmes coulaient dans son visage et je n'avais jamais rien vu d'aussi triste et pathétique. Même voir mon père pleurer ne m'avait pas fait autant d'effet. J'ai essayé de le réconforter :

— Bin, y a au moins ça, Jé. T'as pas participé pour vrai...

— Non, mais j'ai rien fait pour les arrêter ! Je voyais bien que Julianne voulait pas, mais je faisais comme si c'était pas grave. Pas grave ! Ils l'ont violée, Fred. Pis moi, si la police les avait arrêtés, j'aurais pu me faire accuser de pas avoir aidé quelqu'un qui était en danger. Pis ça aurait été vrai ! Quand j'ai vu Julianne après, comment elle était fuckée, j'ai capoté. J'avais pas réalisé à quel point elle avait pu être traumatisée.

Ça me rappelait les paroles de Julianne qui disait que, selon elle, les gars ne réalisaient pas ce que ça pouvait faire à une fille. « J'avais pas réalisé. » Vraiment ?

— Oui, traumatisée, et elle l'est encore, Jé. Elle va l'être pendant un bon bout de temps.

Il a mis un poing dans sa bouche, comme s'il voulait s'empêcher de crier. Moi, j'ai serré les mâchoires et je me suis rendu compte que mes poings étaient tout aussi crispés. Il n'avait pas réalisé. Personne, de tous ceux qui étaient là, n'avait réalisé. Fallait être cave pas à peu près. Avant que je puisse me retenir, j'ai dit :

— Tu pensais quoi, au juste ? Qu'elle oublierait tout ça le lendemain matin comme si ça avait été un mauvais rêve ?

— Je sais pas, Fred ! Je sais pas à quoi j'ai pensé. J'ai juste *pas* pensé, et c'est ça qui me rend fou. J'ai juste pensé qu'elle était là, toute nue, belle...

— Belle ? Comment tu peux bander sur une fille quand tu sais qu'elle veut pas être là ?

— JE SAIS PAS !

Là, il pleurait et il faisait pitié. C'était évident qu'il regrettait, qu'il ne comprenait pas ce qui lui avait pris, et je me suis demandé si j'étais vraiment mieux que lui, au fond. Si j'avais été aussi soûl et gelé qu'eux ce soir-là, est-ce que je pouvais être absolument certain que j'aurais agi différemment ? C'était facile de dire que oui, que je ne suis pas comme ça, mais j'en avais vu trop, des gars corrects devenir comme des hommes des cavernes, pour pouvoir le jurer. J'ai desserré mes poings et je l'ai laissé continuer.

— Le pire, c'est que ça a été la même chose au

motel, avec Élysabeth. Yan et Sébas avaient bu toute la soirée, j'étais allé les rejoindre après mon shift, et là on s'est bourrés de peanuts et de *mush*. On était complètement partis et je savais ce qu'ils voulaient faire. Je le *savais*. Mais au lieu de dire ou faire quelque chose, j'ai pris mon char pis je suis parti en me disant que cette fois-là, au moins, je serais pas là. Pas de couilles.

J'essayais d'imaginer comment il se sentait et je n'y arrivais pas. Ouais, un peu, quand même. Je m'étais senti inutile, je regrettais d'être arrivé trop tard et ça m'avait rongé pendant des semaines. Alors, lui... Ça devait être assez dur de vivre avec ça. Je n'arrivais pas à lui pardonner, par contre, pas plus que j'arrivais à me pardonner moi-même. Au moins, il regrettait. Je ne savais pas ce qui allait se passer, comment il allait gérer tout ça, et je n'étais pas certain que ça m'aide à accepter ce qu'il avait fait, le rôle qu'il avait joué dans tout ça même si c'était malgré lui. Je lui ai quand même demandé, plus par curiosité que par sympathie :

— OK, mais là, tu vas faire quoi ?

— Je sais pas. Je voudrais parler à Julianne, à Ély, aussi, mais je suis pas encore prêt. Si y avait pas eu l'accident, je serais allé au poste de police, moi aussi, et j'aurais filé un peu mieux, je pense, même si les filles m'auraient probablement haï pour le reste de leurs jours, avec raison. Là, je sais pas.

— Veux-tu que je parle à Julianne ? Ély, je la connais pas assez, mais je pense que Julianne pourrait comprendre...

— Non, pas tout de suite en tout cas. J'aimerais mieux que t'en parles à personne, mais je sais bien que je pourrai pas t'empêcher si c'est ça que tu veux. Je commence à aller mieux, sauf que j'ai encore du chemin à faire. J'ai toujours ri de ça, les psychologues. J'ai toujours pensé que c'était pour ceux qui sont malades dans la tête ou trop moumounes pour régler leurs problèmes tout seuls. Je pense pus ça. J'ai fait des conneries, j'ai des problèmes, mais ça veut pas dire que je suis malade dans la tête. Pis je pense que des fois, faut avoir le courage d'admettre qu'on est pas capables de régler nos problèmes tout seuls. Y a des problèmes qui se règlent juste pas tout seuls, et dans ce temps-là, ça donne quelque chose de parler à quelqu'un qui peut aider.

Là-dessus, il est descendu de l'auto et moi, je suis resté là un bon bout de temps avant d'être capable de repartir.

CHAPITRE 21

Pendant ce temps, mon père

On était déjà rendus au soir du spectacle pour le concours du poste de radio. L'automne avait passé tellement vite que j'avais l'impression que c'était hier qu'on s'était inscrits. On avait soumis *Existence* pour la première ronde, et ça avait été vraiment cool de l'entendre jouer à la radio. Plein de monde avait voté pour nous et on s'était rendus en demi-finale avec une autre chanson, *Cœur perdu*. Je me souvenais de la réaction d'Ély quand on la lui avait jouée... Julianne l'avait écrite un peu pour elle et lui avait donné l'enregistrement quand elle était partie dans le Sud avec ses parents, pendant les vacances de Noël. Après qu'on l'avait jouée pour elle au local, elle est devenue encore plus proche du band. Cassandra aussi, en fait. Elle a parlé de nous plusieurs fois dans le journal de son école. Elle a même fait, avec des photos du band, un reportage qui a été publié dans le journal local. Ça a dû nous aider.

Les vacances de Noël, on les a passées à pratiquer. Ah, et on a aussi fêté notre premier anniversaire, ma blonde et moi. Je l'ai emmenée dans un beau restaurant et après, chez moi. J'avais tout organisé pour qu'elle me trouve romantique : je lui avais donné un bouquet de fleurs, j'avais mis des chandelles partout, j'avais même acheté des draps de satin et sa mère lui avait enfin permis de passer la nuit avec moi. C'était... glissant. Pas évident, des draps de satin !

Mais pour le reste, on a passé une vraiment belle soirée. C'était facile de faire plaisir à ma blonde, quand même. Elle peut être tellement fille, des fois ! Des fleurs, des chandelles, un gars romantique, ce n'était pas tellement difficile à faire et ça l'a vraiment touchée. Je pense que j'ai compté pas mal de points avec cette soirée-là...

On s'est collés et on a évidemment fait l'amour toute la nuit ou presque. Je n'en avais toujours pas assez d'elle. Sa façon de me caresser, de me faire sentir important pour elle, j'aimais trop ça. Je repensais à ce que Julianne m'avait dit au sujet des filles et des trips de films de cul. Je regardais ma blonde et oui, c'était évident que ce n'était pas juste son corps qui réagissait quand je la touchais, quand j'étais en elle et que je la regardais en l'embrassant. Je n'avais jamais pensé à ça avant, et si quelqu'un m'avait demandé de décrire ce que moi, je pensais pendant que ma queue glissait en elle, je n'aurais pas pu répondre. Je ne pensais à rien, j'pense. À quoi j'aurais été supposé penser ? C'était juste bon, excitant, cool ; j'avais besoin de rien savoir d'autre. Pour elle, ce n'était pas la même chose, c'était beaucoup plus profond, plus émotif aussi, et ça m'avait l'air pas mal mystérieux. Compliquées, les filles ? Nooon, pas pantoute ! !

Par contre, je savais que je n'aurais pas envie qu'elle se transforme en cochonne porno ou qu'elle me demande, par exemple, d'inviter d'autre monde pour triper dans mon lit avec nous. Ce n'était pas ce que je voulais avec elle. J'étais parfaitement content qu'on soit juste tous les deux. Je savais que beaucoup de mes chums rêvaient de ce genre de trip sans nécessairement l'avouer. J'y avais déjà pensé, moi aussi, c'est sûr, mais quand Alex était devenue pas mal trop agace, ça m'avait plutôt dérangé que fait plaisir. Et puis oui, ça m'arrivait de me demander comment ça serait, un trip à trois ou de coucher avec une fille que je ne connaissais pas, un genre de fille au corps parfait et à l'allure de mannequin. Me semble que c'était juste normal d'y penser. L'affaire, c'est qu'entre y penser et le faire, y a tout un monde, et c'était évident que beaucoup le traversaient, ce monde-là, sans se poser de questions. En tout cas, c'était trop de questions pour moi et j'étais parfaitement heureux avec ma blonde, juste elle.

La seule angoisse qu'on a eue, c'est quand Sarah-Jeanne s'est rendu compte qu'elle était « en retard » une semaine ou deux après cette nuit-là. Mettons qu'on a angoissé tous les deux, solide. Je ne me voyais pas tellement avoir un bébé, et elle non plus. Elle avait peur que je panique, mais je pense qu'elle paniquait pas mal plus que moi. Normal. Si c'était arrivé, j'aurais fait ce qu'il fallait, je ne suis pas irresponsable. Je l'aimais assez que j'aurais trouvé un moyen pour que ça marche, nous deux plus un. Sarah-Jeanne n'arrêtait pas de stresser en s'imaginant être obligée d'annoncer ça à ses parents et même si j'essayais de lui dire d'attendre avant de s'énerver, ça ne servait à rien. Elle était tellement paquet de nerfs que je n'aurais pas été surpris que ça soit pour ça, et juste pour ça, qu'elle était en retard! Finalement, c'était une fausse alerte, mais disons qu'on s'est promis de tout faire pour ne plus être obligés de vivre ça. Je ne l'ai jamais vue aussi contente d'avoir ses menstruations! Faut dire que moi aussi, j'ai mieux respiré après.

* * *

L'après-midi du show, on s'est rendus à l'auditorium dans un état complètement fou. Les filles avaient passé le mois à se demander comment elles s'habilleraient, nous, à espérer que ça sonne bien. On savait qu'il y aurait beaucoup de monde, mais quand on a vu à quel point c'était rempli, on a vraiment tripé. Tous nos amis étaient là, et Mélo avait apporté la bannière du band. On voyait Mélo beaucoup moins souvent depuis quelque temps, et je savais que ma blonde et elle avaient eu des petits «accrochages». Des chicanes de filles, moi, je ne me mêlais pas de ça. Saja s'inquiétait pour son amie, elle me disait qu'elle avait changé, qu'elle était distante. Ma blonde était triste parce qu'elle avait l'impression qu'elle ne s'occupait pas assez de son amie. Je lui disais que ce n'était pas sa faute, que beaucoup de choses se passaient avec Existence, l'école, les cours de chant et le reste, que Mélo devait bien comprendre, mais Saja se sentait coupable. Et chaque fois qu'elle voulait se rapprocher de Mélo, elle avait plutôt l'impression que son amie s'éloignait. J'espérais que ça se règle, car je savais combien elles s'aimaient, ces deux-là, mais je trouvais quand même que Saja s'inquiétait pour pas grand-chose. Mélo était là, dans la foule, alors tout devait être OK.

On était le troisième de quatre bands à jouer et la pression était forte. On voulait tellement gagner! Ça serait vraiment génial de faire enfin un vrai démo, et ça faisait partie du grand prix. Ça et des spectacles, la finale nationale et, avec un peu de chance, un vrai de vrai contrat de disques.

Pendant que les deux premiers bands jouaient, nous, on essayait de rester calmes. Il y avait quelque chose dans l'air, comme de l'électricité. On n'avait jamais joué dans une grande salle comme celle-là ni devant autant de monde, mais il y avait autre chose que ça. Je me sentais comme si j'étais vraiment à ma place. On connaissait nos chansons sur le bout des doigts, on avait plein de fans venus nous encourager, comme le soir du Festival, et je sentais que ce show représentait le début de quelque chose.

On s'est installés et on a joué. Au moment de commencer, j'ai senti une espèce de calme froid. J'étais comme hyper lucide. Ce n'est pas long, deux tounes, mais j'ai eu le temps de tout voir, tout sentir. Même avec l'éclairage qui nous aveuglait, j'ai vu plein de visages connus et ça m'a encouragé encore plus. Ély prenait des photos, et j'adorais ça. On a fini de jouer et j'ai senti que ça avait été encore mieux que je l'espérais. Quand les animateurs nous ont tous fait venir sur la scène et ont annoncé qu'on gagnait, je me suis mis à sauter comme un kid. On avait l'air d'une gang d'énervés, mais ce n'était pas grave. Plusieurs de nos amis sont montés sur la scène avec nous, je ne savais plus trop qui était où, seulement que ma blonde était dans mes bras et mon band, autour de moi. On l'avait fait et on avait réussi.

* * *

J'ai déjà dit ça avant et je le répète : quand ça va bien, c'est facile de penser que ça va toujours continuer de même. C'est l'fun, aussi. On n'aime pas ça, penser aux affaires plates qui peuvent arriver. Des fois, les affaires plates arrivent lentement, sans trop paraître, ce qui fait qu'on ne les voit pas vraiment venir. Ou qu'on décide de pas les voir.

En tout cas.

* * *

J'avais été tellement pris par toutes sortes d'affaires que je ne voyais presque plus mes parents. Je me sentais mal envers ma mère parce que je m'étais promis d'essayer de passer plus de temps avec elle, mais entre le band, ma blonde, le travail et le cégep, ce n'était juste pas arrivé autant que je l'aurais voulu. J'avais quand même remarqué que, de plus en plus souvent, ma mère venait me porter des soupers qu'elle avait faits plutôt que de m'inviter à manger avec eux comme elle le faisait avant. Je me demandais si c'était parce qu'elle m'en voulait de ne pas aller la voir plus souvent, mais elle m'avait plutôt dit qu'elle comprenait que je sois fatigué, que j'avais de longues journées et que j'avais sûrement plus envie de souper tranquille avec ma blonde qu'avec eux. C'était vrai, mais je voulais quand même lui faire plaisir. Alors, un vendredi soir, quand Sarah-Jeanne est venue me rejoindre après mon dernier cours de la soirée, j'ai décidé d'aller rendre visite à mes parents. Ça faisait quand même plus d'un mois, depuis les fêtes de Noël, en fait, que je n'étais pas allé chez eux, et je savais que ma mère serait contente de nous voir.

Ma mère avait l'air bizarre. Elle a même comme hésité à nous laisser entrer, alors que d'habitude elle m'accueillait en ouvrant la porte toute grande, un beau sourire aux lèvres.

— Frédérick, je vous attendais pas…

J'ai essayé de la faire rire :

— Je savais pas qu'on avait besoin d'une invitation !

Elle a plutôt regardé le plancher, puis elle m'a enfin laissé entrer. Elle semblait seule à la maison, mais il y avait sur la table deux assiettes sales du souper, qu'elle n'avait pas encore ramassées. Ça, c'était vraiment étrange. Je connaissais ma mère : elle détestait voir traîner la vaisselle.

— Papa est là ?

— Non, il est sorti…

Elle regardait ailleurs, comme si elle évitait mon regard. J'ai enfin remarqué que ses yeux étaient gonflés, comme si elle avait pleuré. J'ai compris.

— Fuck, maman. Depuis quand ?

— Depuis quand quoi ? Qu'il est sorti ? Oh, environ une demi-heure.

Je l'ai saisie doucement par les épaules et l'ai forcée à me regarder. Il y avait tellement de tristesse dans ses yeux que j'ai eu envie de pleurer, moi aussi. Il était sorti, oui. Je savais exactement où. J'ai dit à Sarah-Jeanne :

— Excuse-moi, je pense que je vais être obligé d'aller te reconduire. J'ai une commission à faire.

Sarah-Jeanne ne comprenait rien. C'était normal. Elle se tenait un peu à l'écart, gênée et indécise. Ma mère, elle, m'avait deviné et m'a supplié :

— Frédérick, vas-y pas, s'il te plaît. Il file pas, il vient de perdre sa job, c'est pas le bon moment.

— Pas le bon moment ? Maman, tu l'as toujours protégé. Pauvre petit, il a perdu sa job. Encore ? Qu'est-ce qui est arrivé cette fois-ci, hein ? Il a recommencé à boire après avoir perdu sa job ou c'est à cause de ça, une autre fois, qu'il l'a perdue ?

— Qu'est-ce que tu veux dire par là, encore ?

— Maman, j'ai pus douze ans. Arrête de le défendre. Je l'sais qu'il s'est déjà fait mettre à la porte une couple de fois parce qu'il était trop soûl pour bien faire son travail. Essaie plus de me faire croire le contraire. Depuis quand il a recommencé ?

Ma mère a pris un air résigné. Elle savait qu'il ne servait à rien d'essayer de camoufler des choses que je comprenais très bien. Je n'étais plus un bébé. Elle a enfin décidé d'arrêter de jouer à celle qui ne veut rien dire et m'a avoué, les yeux tristes :

— Depuis les Fêtes. Juste un peu au début. Il disait

qu'il était stressé parce qu'il sentait qu'il y aurait des coupures de postes...

— C'est toujours la même histoire, maman! Il dit qu'il est stressé pour se donner une excuse! Il est stressé parce qu'il boit, pas le contraire!

Sarah-Jeanne m'a pris par le bras et elle m'a dit:

— Ta mère a raison, Fred, c'est peut-être pas le temps de lui parler. Tu sais que ça donnerait pas grand-chose.

Je l'ai regardée et pour la première fois, j'aurais voulu qu'elle ne soit pas là. Je l'aimais, mais je ne voulais pas la voir. Elle ne comprenait pas ma honte, mon embarras devant elle. Ma mère non plus ne comprenait rien, elle qui n'était pas capable de reconnaître le même maudit pattern qui se répétait. Je ne voulais pas être méchant, mais je sentais que j'aurais du mal à rester gentil même si ma colère était juste dirigée vers mon père.

— Sarah-Jeanne, je vais aller te reconduire, OK? Je m'excuse, mais c'est quelque chose qu'il faut que je règle tout seul.

Elle m'a regardé et dans ses beaux yeux j'ai vu qu'elle comprenait, qu'elle aurait aimé faire quelque chose, mais qu'elle savait qu'elle n'était pas à sa place. Elle m'a embrassé en me soufflant à l'oreille:

— Je vais marcher, t'en fais pas. Téléphone-moi plus tard, OK? Et si je peux faire quelque chose, promets-moi de le dire... Je t'aime.

Je l'ai regardée partir en essayant de respirer nor-malement. Je bouillais, ma mère pleurait. Fallait que je sorte et je savais exactement où aller.

* * *

C'était une brasserie de coin de rue bien ordinaire, pas mal pleine. Avec des écrans qui diffusaient une partie de hockey, de la musique quétaine, un barman aux cheveux faux blond avec un faux bronzage et les manches roulées pour montrer ses faux muscles.

J'ai vite repéré mon père qui était assis au bar avec deux bonshommes que je ne connaissais pas. Il avait l'air de bonne humeur. Il riait comme un gros cave, un grand verre de bière devant lui et un plus petit avec du liquide doré dedans, du Jack, probablement, puisque la bouteille était sur le comptoir à portée de main du barman. Ils écoutaient la partie de hockey et riaient en regardant une table où trois femmes de l'âge de ma mère, trop maquillées et trop bronzées, prenaient un verre elles aussi. Je n'en revenais pas. Le soûlon qui était là, accoté au bar en train de reluquer des femmes même pas belles, c'était mon père. Dé-gueu-lasse.

Je me suis approché du bar. Quand mon père m'a vu, son sourire s'est comme éteint. Il a même eu l'air très bête tout d'un coup. Il a regardé ses chums et leur a dit, assez fort pour que j'entende :

— Oups, les gars, j'pense que j'vas me faire chicaner.

Il trouvait ça drôle, le con.

Je n'ai plus réfléchi. J'ai juste revu dans ma tête le coup de poing qu'il m'avait donné, ma mère effondrée sur le plancher, j'ai senti son odeur de pisse et je suis devenu comme fou. J'avais juste envie de le prendre à la gorge et de serrer. J'ai essayé de compter jusqu'à dix pour me calmer ; mes poings étaient tellement crispés que j'avais mal aux mains. J'avais pas envie de faire un show devant tout ce monde, mais j'ai jamais eu autant de misère à me contrôler. Je me suis avancé vers lui et je me voyais trop bien frapper sa grosse face molle, je sentais le soulagement que ça m'apporterait et j'avais un peu peur de moi. J'ai pensé à Sarah-Jeanne et ça m'a aidé. Qu'est-ce qui se serait passé si je m'étais laissé aller ? Il se serait écrasé contre le bar et je lui aurais pris le collet d'une main. De l'autre, je l'aurais frappé encore, encore, encore, jusqu'à ce que quelqu'un m'empoigne par en arrière pour m'éloigner de lui. Lui, il serait resté là, sans rien faire, sans se défendre. Il m'aurait regardé, surpris, du sang dégoulinant de son nez. OK. Longue respiration.

À la place, je me suis rapproché encore plus et je lui ai dit, la voix lente, apparemment calme :

— T'es fier de toi, maudit soûlon ? Maman est à maison, elle te protège encore, pis toi tu prends un coup en cruisant des bonnes femmes à brasserie. Wow.

Je lui ai pris le coude pour le forcer à se lever, mais il résistait. Ma voix est devenue moins calme. Moi-même j'entendais la menace :

— Tu t'en viens à maison avec moi.

— Hey, tu vas pas me dire quoi faire, OK ? Y a assez de ta mère qui est tout le temps sur mon dos, j'ai pas d'ordre à recevoir de toi.

J'ai regardé ses yeux. Ils étaient rouges, mouillés, cernés et bouffis. Mon père était vieux, il avait l'air d'avoir au moins cent ans. C'était les yeux d'un homme qui ne veut pas se battre, ni physiquement ni contre ses problèmes. Rien à faire.

— OK. C'est ça, là ? Tu te fais mettre à la porte à cause de la boisson, encore une fois. T'as presque perdu ta femme, t'es prêt à risquer ça aussi. T'es juste trop mou pour te prendre en main, faque tu lâches, hein ?

— Tu comprends rien, Fred. T'as jamais rien compris. J'ai cinquante-deux ans. Y est trop tard pour moi. J'ai fait des gaffes, je l'sais, là je paie pour. Je pourrai jamais me retrouver une job qui a de l'allure, j'pus capable de me battre. Tu penses que c'est facile ?

On sait bien, toi, t'es parfait. Tu sauras que c'est pas évident, Fred. C'est pas de ma faute, c'était pas supposé se passer de même.

— Pas de ta faute? C'est la faute de qui, d'abord? J'ai jamais compris?! Tu te trompes, j'ai toujours super bien compris. Y a rien à faire avec toi. T'es un vieux alcoolo, pis c'est ça que tu vas être jusqu'à temps que tu crèves. J'ai hâte.

Là, j'ai craché par terre devant lui. J'étais allé loin, probablement trop loin, mais je pouvais rien y faire et au fond, c'était exactement ce que je pensais. Fallait que ça sorte. J'aurais voulu lui dire plein d'autres choses que j'avais sur le cœur, mais j'étais vidé tout à coup. Fini. Je l'ai tiré plus fort. On commençait à attirer l'attention. Je voulais juste qu'il me suive, qu'il aille se coucher. On pourrait parler intelligemment demain, mais il résistait. J'ai serré plus fort:

— T'en viens-tu, oui ou non?

— Non, j'm'en viens pas, Fred. Je reste ici. J'ai pas fini ma bière, laisse-moi tranquille. J'vais partir quand je vais être prêt.

Il s'est dégagé brusquement et je l'ai lâché.

— J'espère au moins que tu vas prendre un taxi. Quoique, si tu fonces dans un poteau, c'est pas moi qui vas pleurer.

Je suis parti. Quelque chose de mouillé me coulait sur les joues, mais je ne savais pas ce que c'était. Ah, OK. Je pleurais. Plein de larmes s'échappaient de mes yeux et je ne m'en étais même pas rendu compte.

Je suis retourné à la maison voir ma mère.

CHAPITRE 22

La dernière connerie

Je m'étais attendu à trouver ma mère effondrée, en train de pleurer, mais ce n'était pas le cas. Je ne l'avais jamais vue comme ça. Elle était assise à la table de la cuisine et prenait des notes sur un papier. Un tas d'autres papiers étaient éparpillés autour, des comptes et des factures. Sa bouche était juste une petite ligne mince, ses narines étaient pincées et sa main tenait le crayon tellement fort que ses jointures étaient blanches.

— Qu'est-ce que tu fais ?

— Je fais des calculs. Je voulais me changer les idées en regardant où on en est avec l'argent. Faut que je prenne des décisions. Je pense pas que je peux continuer de même, Fred.

J'étais d'accord. Il était temps qu'elle se réveille une fois pour toutes. Elle m'a regardé et encore, je ne m'étais pas attendu à voir autant de colère dans ses yeux. Sa voix tremblait, mais elle ne versait pas de larmes. Elle était enragée.

— Toutes les cartes de crédit sont pleines au maximum. Il a réussi à se cacher assez longtemps pour boire des milliers de dollars.

— Bin voyons, ça se peut pas...

— Oui, ça se peut. Des soirées au bar, ça coûte cher. Il allait dîner souvent aussi, mais il buvait autant qu'il mangeait. Ça monte vite, à coup de cinquante, cent dollars. Il voulait pas que ça paraisse dans le compte de banque, j'imagine. Il pensait peut-être que je m'en rendrais pas compte parce que c'est lui qui s'occupe de ces affaires-là. Il m'a vraiment pris pour une idiote. Je suis supposée faire quoi, là ?

— T'es pas obligée de tout payer d'un coup, non ?

— Non, mais les intérêts sont ridicules. La dernière fois, on a pris une deuxième hypothèque sur la maison pour rembourser ses dettes, mais là, on peut plus. Les banques prêtent pas d'argent aux alcooliques au chômage, a-t-elle conclu, les dents serrées.

Je ne comprenais rien à ces affaires-là, mais c'était facile de comprendre qu'elle était inquiète et découragée. Je ne l'avais jamais entendu dire les choses aussi clairement au sujet de mon père, ni de rien d'autre, d'ailleurs.

— Qu'est-ce que tu vas faire, maman ?

— Je l'sais pas, Frédérick. Ça va dépendre de lui, j'imagine. Tu l'as vu ?

— Oui, je l'ai vu.

Je ne voulais pas lui dire ce que je pensais : qu'il n'y avait plus rien à espérer de mon père. Moi-même, je ne voulais pas trop y croire, mais il fallait pourtant que je l'admette. J'ai juste dit :

— T'avais raison : ça servait à rien d'essayer de lui parler. Il était soûl, il me disait n'importe quoi.

— Je suis fatiguée, Fred, tellement fatiguée.

Je l'ai prise dans mes bras et elle s'est laissée faire. Là, elle a pleuré. Je la trouvais toute fragile, et j'haïssais mon père plus que jamais. Comment avait-il pu lui faire ça ? Ma mère avait toujours été trop douce, trop calme. Mon père disait qu'elle ne le laissait jamais tranquille, moi, je trouvais que c'était le contraire. Elle aurait dû être plus ferme. Mais ce n'était pas de mes affaires. Ma mère m'a regardé en sanglotant et s'est vidé le cœur :

— J'ai tellement voulu qu'on soit heureux, Frédérick. J'ai tellement essayé !

— Je sais, maman. Il te méritait pas.

Je l'ai bercée et je la sentais ramollir.

— Viens, je pense que tu devrais aller te reposer. Je vais rester ici, sur le divan. Je te laisserai pas toute seule. Je sais pas quand il va revenir ni comment il va être, mais je te jure que je vais être ici. Aimes-tu mieux venir en bas ?

Elle a réfléchi à peine quelques secondes.

— Oui, j'aimerais ça. Je veux pas être ici quand il va revenir. Je suis pas capable d'imaginer qu'il vienne se coucher à côté de moi, non, je suis plus capable.

J'ai besoin de penser à ce que je vais faire. Merci, Frédérick. Je sais pas ce que je ferais sans toi. Je suis fatiguée, tellement fatiguée…

J'ai aidé ma mère à ramasser la cuisine et à préparer ses affaires. On est descendus chez moi et on s'est obstinés un petit bout de temps. Elle ne voulait pas que je lui laisse ma chambre, mais j'ai fini par gagner et elle est allée se coucher. Je me suis installé sur le divan, devant la télé. Je ne pensais pas être capable de dormir tellement j'étais nerveux. Je me demandais ce qui allait se passer quand il reviendrait, demain et après. Finalement, je me suis endormi sans rappeler ma blonde. Je savais qu'elle comprendrait.

* * *

La porte d'en haut venait de claquer fort et je me suis réveillé en sursaut. J'entendais des pas, lourds, lents. J'ai entendu aussi quelque chose tomber ou se renverser et j'imaginais trop bien mon père qui avait foncé dans un meuble ou qui était lui-même tombé. En regardant par la fenêtre, j'ai vu son auto stationnée de travers dans l'entrée, à moitié sur le banc de neige, l'arrière collé sur mon auto. Il ne l'avait pas frappée, mais c'était évident qu'il s'était frotté dessus et il l'avait sûrement égratignée. Fuck. Je suis sorti pour voir. Je ne pouvais pas croire qu'il avait conduit, le con.

Il avait fait plus de dommages à son auto qu'à la mienne. Son capot était cabossé et son pare-choc aussi. Tout le côté avait frotté contre mon pare-chocs qui était égratigné, oui, mais ce n'était pas si pire. J'allais lui faire payer la réparation, c'est sûr. Oui, mais avec quoi? J'ai pris une grande respiration en me disant que je verrais ça le lendemain.

Mon père a ouvert la porte de la maison. Il faisait froid, mais il était en bas, en bobettes et en camisole toute sale. Ses cheveux étaient en l'air et il avait l'air d'un robineux. Il m'a vu et est sorti sur le perron en gueulant:

— Est où, ta mère? Qu'est-ce que tu lui as dit, hein? Elle est où?

Je voulais qu'il arrête de gueuler, car il allait réveiller les voisins.

— Elle est couchée en bas dans mon lit.

— Elle a pas d'affaire dans ton lit, réveille-la et dis-lui de s'en venir. C'est quoi, ces affaires-là?

— Qu'est-ce que tu penses? Qu'elle a envie de dormir à côté de toi? Laisse-la tranquille, vous vous parlerez demain.

Il s'est mis à gueuler encore plus fort que je ne me mêlais pas de mes affaires, que tout le monde était contre lui, que personne ne comprenait ce qu'il vivait et plein d'autres niaiseries. J'ai vu des lumières s'allumer chez nos voisins et j'avais honte. Il est tombé dans les marches, ses jambes blanches et poilues enfoncées dans la neige. Je l'ai ramassé et je l'ai traîné dans la maison. Il puait. Je ne voulais plus le voir. De peine et de misère, je l'ai entraîné vers le divan et je l'ai laissé tomber. Après, je suis retourné chez moi. Je me disais qu'il aurait froid, parce qu'il était mouillé et à peine habillé. Pas grave, qu'il gèle.

* * *

Des drôles de bruits m'ont réveillé en sursaut quelques heures plus tard : des moteurs d'auto, des portes qui claquent, des coups donnés à la porte, en haut, chez mes parents. Il était six heures et douze à mon cadran. Je me suis demandé ce qui se passait encore, car ce n'était pas normal, tout ça, un samedi matin. J'ai mis mon manteau et je suis sorti. Il y avait deux autos de police devant la maison. Mon cœur s'est mis à battre comme un fou.

Deux policiers cognaient à la porte ; deux autres étaient assis dans une auto-patrouille et parlaient dans leur radio. Ceux qui étaient à la porte m'ont regardé et m'ont fait signe de ne pas approcher pendant que les deux autres sortaient de l'auto. Mon père a ouvert la porte et les a regardés sans comprendre. Moi non plus, d'ailleurs, je ne comprenais rien.

— Monsieur André Provost ?

— Oui, c'est moi, qu'est-ce qui se passe ?

— Est-ce que c'est votre voiture ?

Le policier montrait l'auto de mon père. À la lumière du jour, elle avait l'air encore plus croche. Mon père se grattait la tête, ayant l'air de se demander ce qu'elle faisait là. Les deux autres policiers se sont approchés de moi et m'ont demandé de m'identifier. Je leur ai dit que c'était mon père, que j'habitais en bas et que ma mère était là aussi. Ils sont entrés chez moi. Ma mère, que le bruit avait réveillée aussi, avait l'air en état de panique. Un des policiers nous a regardés et nous a dit :

— Il y a eu un accident la nuit passée. Un piéton a été frappé et un témoin qui était avec lui a donné le numéro de plaque de la voiture de votre mari. Après l'accident, il a continué à rouler en louvoyant sans s'arrêter. Monsieur Provost va être emmené et interrogé. Il va y avoir une enquête.

Ma mère a presque crié :

— Quoi ? Il aurait frappé quelqu'un et aurait continué comme si de rien n'était ? C'est un délit de fuite, ça ! Vous êtes sûr que c'est son auto ?

— La couleur et le modèle du véhicule correspondent à ce que nous a dit le témoin. La plaque aussi. Est-ce que votre mari était à la maison hier soir ?

— Non. Il était pas ici.

— Savez-vous à quelle heure il est rentré ?

Cette fois, c'est moi qui ai répondu :

— Il était deux heures et demie à peu près. Je l'ai entendu et je suis allé voir en haut.

— L'accident s'est produit autour de deux heures vingt. Il va lui falloir un avocat. Je suis vraiment désolé. On va aussi devoir vous poser des questions.

Ma mère s'est laissée tomber dans le fauteuil. Elle ne savait pas si elle devait dire quelque chose, et moi non plus. J'allais leur expliquer que mon père avait passé la soirée au bar, qu'il était soûl. Je savais que c'était lui – il n'y avait aucun doute possible –, mais est-ce que j'allais les aider à accuser mon père ? Je le détestais, je lui voulais du mal, mais… est-ce que j'étais vraiment prêt à lui nuire à ce point ? C'est devenu soudainement clair que oui.

Les policiers n'ont rien dit de plus, je pense, et à mon grand étonnement, n'ont pas posé d'autres questions. Ma mère était immobile, comme si elle avait été transformée en statue ; ses yeux ouverts fixaient le vide. C'était assez épeurant à voir. Moi, j'avais l'impression d'être devenu un bloc de glace. Froid et dur. Ma mère a fini par dire :

— Ça se peut pas, Fred. Dis-moi que c'est pas vrai.

Je ne pouvais pas. Je savais trop bien que ça se pouvait. Oui, ça se pouvait très bien. Quand les policiers sont sortis, j'ai sursauté comme si je me réveillais d'un long sommeil. Je leur ai demandé en criant presque :

— Est-ce qu'il est blessé, le piéton ? Il est correct ? S'il vous plaît, dites-moi qu'il est correct.

— Oui, il a été chanceux. La voiture roulait pas très vite. Il est à l'hôpital, mais pas en danger.

Un des policiers nous regardait, ma mère et moi, et je voyais qu'il était triste pour nous. J'aurais voulu qu'il nous dise autre chose, que ce n'était pas si grave, que ce n'était peut-être pas mon père, je ne sais pas quoi, n'importe quoi. Il a simplement conclu en disant :

— Nous allons communiquer avec vous bientôt. On va devoir vous interroger.

Je suis resté planté là à regarder ma mère. Même si elle était toujours hébétée, elle avait l'air quand même assez solide et ça me surprenait. Je ne me souvenais pas avoir vu de la colère dans son visage plus tôt, mais elle était bien là, visible, et pas juste un peu. Je ne savais pas si elle faisait un effort, si elle allait s'effondrer d'un instant à l'autre ou non. Elle avait l'air à la fois fragile et fâchée. Moi, mes jambes tremblaient, j'avais mal à la tête et mon cœur voulait sortir de ma poitrine tellement il battait fort. J'ai regardé par la fenêtre et j'ai vu mon père partir avec les policiers. Il s'était habillé, au moins, mais il avait toujours l'air d'un robineux, avec sa barbe de deux jours, ses cheveux tout mêlés et ses yeux perdus.

Presque toute la rue était dehors à regarder la

scène et j'aurais voulu envoyer chier tout le monde. Je n'avais jamais eu aussi honte de ma vie. J'allais être le « pauvre p'tit gars du soûlon de la rue ». Je savais depuis longtemps que plusieurs de nos voisins nous jugeaient à cause de mon père. Là, on leur servait sur un plateau d'argent la preuve qu'ils avaient eu raison. Ma mère a regardé dehors, elle aussi. Elle avait la tête haute et les épaules droites. Elle est sortie. Même si elle n'en avait pas l'air, j'avais peur qu'elle aille brailler dans les bras de mon père, faire une scène, et je n'avais pas la force de l'en empêcher. Ça serait pathétique, ridicule, et ça ferait encore plus commérer les voisins. En essayant d'oublier tous les curieux qui nous regardaient, je suis sorti derrière elle pour voir ce qu'elle allait faire. Je ne voulais pas qu'elle pleure et qu'elle s'aplatisse devant lui encore une fois. J'en pouvais plus qu'elle s'effondre en bonne petite victime. Elle m'a étonné. Elle s'est approchée de l'auto-patrouille et mon père lui a dit, les yeux fous et perdus :

— Trouve-moi un avocat, Céline. Je comprends rien, je sais pas ce qu'ils me veulent, mais ils disent que je vais en avoir besoin.

Ma mère s'est tenue encore plus droite et a répondu :

— Je t'ai donné mes vingt-cinq plus belles années, une belle vie, un gars extraordinaire, mais c'était pas assez. Jamais assez pour que tu sois capable d'arrêter de boire et d'éviter de tout gâcher. Là, tu veux que je trouve un avocat? Arrange-toi, André. Tu dois être fier de toi, hein? C'est ça que ton gars va garder comme image de toi pendant toute sa vie. Tu comprends rien? T'as frappé quelqu'un. T'es chanceux, la personne est pas en danger, mais t'aurais pu la tuer. C'est juste trop pour moi. Là, je peux plus rien faire pour toi.

Je savais qu'elle n'aurait pas dû parler de la boisson, que les policiers n'avaient pas de preuve qu'il était soûl au moment de l'accident, mais ils en avaient vu d'autres et ne devaient pas être surpris.

Moi, par contre, je n'avais pas leur expérience de ce genre de choses et je ne pouvais pas m'empêcher d'imaginer ce qui avait dû se passer. Dans ma tête, je voyais mon père embarquer dans son auto en chancelant et conduire en se promenant d'un bord à l'autre de la route sans se rendre compte qu'il zigzaguait. Il s'était peut-être endormi ou alors il voyait tout embrouillé. Ils étaient au moins deux piétons à circuler au bord de la route, sans se douter qu'un chauffard soûl fonçait sur eux. C'était qui? Des adultes? Des ados, peut-être, qui retournaient chez eux? Filles ou gars? Je voyais trop bien un couple, un gars et une fille de mon âge qui se tenaient la main jusqu'à ce qu'ils voient les lumières de l'auto trop proches. Ils essayaient de s'écarter, mais c'était trop tard. Des images d'un corps qui vole dans les airs, des visages remplis de terreur.

J'ai eu mal au cœur tout à coup et j'ai à peine eu le temps de me rendre aux toilettes avant de vomir.

CHAPITRE 23

Nouvelle vie

On est allés au poste de police, ma mère et moi, pendant que mon père se faisait emmener dans un centre de détention en attendant sa comparution. J'ai téléphoné à Sarah-Jeanne, je lui ai tout raconté et elle a voulu venir me rejoindre. Même si j'aurais aimé ça qu'elle soit là, avec moi, j'ai refusé, surtout parce que j'étais nerveux. Je savais que mon témoignage nuirait à mon père, mais finalement, ce que j'ai dit à la police n'a pas changé grand-chose. Des témoins avaient vu mon père au bar et m'avaient vu, moi aussi. Au moins cinq personnes l'avaient vu monter dans son auto tellement soûl qu'il avait de la difficulté à la débarrer. Je trouvais ça bizarre que personne n'ait essayé de l'empêcher de conduire, mais l'enquêteur m'a dit que tout le monde évitait tellement de se mêler des affaires des autres que ce genre de situation arrivait souvent. En plus, personne ne voulait s'obstiner avec un gars qui avait trop bu ; c'était plus facile de faire comme si on n'avait rien remarqué. Devant la police, par contre, c'était plus facile à admettre. L'enquêteur m'a dit :

— En fait, ça a été assez simple de déterminer ce qui s'est passé. Ton père va être accusé de délit de fuite, ce qui est déjà assez grave, mais aussi de ne pas avoir porté secours à une victime en danger et d'avoir bu bien au-dessus de la limite permise. On n'a pas d'alcootest, mais il y a assez de témoins qui l'ont vu boire pour pouvoir ajouter cette accusation.

— Qu'est-ce qui va lui arriver ?

— C'est trop tôt pour le savoir et c'est un juge qui va devoir trancher. Mais ça regarde mal…

— Le piéton, il va comment ?

— Il a eu plusieurs fractures au bassin et aux jambes et des blessures internes aussi, mais il va sortir de l'hôpital assez rapidement. C'est un jeune, un peu plus vieux que toi. Le gars qui était avec lui a raconté qu'ils revenaient tous les deux du même bar où ton père avait passé la soirée. Lui, il a eu le temps de sauter sur le côté, mais son ami n'a pas eu autant de chance. Si ton père avait roulé plus vite, il l'aurait probablement blessé plus gravement, peut-être même qu'il l'aurait tué. Ton père, lui, prétend qu'il s'est même pas rendu compte qu'il avait frappé quelqu'un. Il dit qu'il aurait au moins arrêté pour l'aider s'il avait su…

Selon moi, c'était clair qu'au fond, il savait qu'il avait juste été trop soûl. Comment c'était possible de frapper quelqu'un sans s'en rendre compte ? Voyons donc ! Mon père irait très certainement en prison et j'arrivais pas à le croire.

J'avais encore une fois l'impression d'être dans un film ou une série policière. Sauf qu'à la télé, quand quelqu'un se retrouve en prison, on n'explique jamais comment les autres se sentent. Ils montrent ça comme si ce n'était pas si pire ou alors ils présentent les prisonniers comme des gros criminels, des tueurs sans remords, pas des vendeurs d'autos ordinaires et bedonnants qui ont une famille et qui viennent de perdre leur job.

Je ne savais pas comment j'étais supposé me sentir. J'étais fâché, c'est sûr, et j'avais vraiment honte de mon père, mais c'était encore trop irréel pour que je ressente grand-chose d'autre. J'étais *down*, ça, je le sentais aussi. Je me disais que si j'avais été important pour mon père, même juste un peu, peut-être qu'il aurait été capable de rester straight et que rien de tout ça ne serait arrivé. Mais il a fallu qu'il boive et qu'il prenne la décision stupide de conduire, le genre de décision qui se prend tous les jours sans qu'on y pense à deux fois, pour que sa vie bascule. Le problème, c'était que d'autres vies basculaient aussi. Celle de ma mère, la mienne. Celle du piéton qui s'était fait frapper, aussi, et de sa famille. Une fraction de seconde, pendant laquelle il aurait pu – dû – décider de prendre un taxi comme je lui avais dit de le faire, avait tout changé pour plein de monde.

* * *

Le surlendemain, quand mon père a été remis en liberté sous caution moyennant plusieurs conditions, il a pris un autre coup de vieux. En fait, il avait l'air d'une loque, d'une vieille guenille sale.

Ma mère ne voulait pas le voir, encore moins vivre dans la même maison que lui. Elle a décidé de retourner vivre chez sa sœur. Elle avait déjà commencé à faire des boîtes, et ma tante avait promis de l'aider pour le reste. Autant mon père tombait en morceaux, autant ma mère, elle, prenait des forces. Le soir de l'arrestation, elle m'a parlé du fond de son cœur pour la première fois. C'était comme si elle parlait à un ami, pas à son fils, et ça faisait drôle. Ça m'a surtout fait plaisir parce que je découvrais une femme que je ne connaissais pas, et j'avais l'impression que pour elle, j'étais vraiment devenu un homme, un égal à qui elle pouvait se fier. Elle m'a offert un verre de vin et s'en est versé un. Un gros.

— Je peux enfin prendre mon verre de vin tranquille, sans m'inquiéter que ton père finisse la bouteille ou que ça lui donne le goût de boire. Toi, Fred, tu bois pas tellement, hein ?

— Non, j'ai jamais vraiment aimé ça. Ça me

donne trop l'impression de pus avoir de contrôle, pis le buzz me fait pas triper.

— Tu fumes encore ?

— Non, c'est fini, ça. Quand j'ai compris que j'étais rendu comme lui, j'ai décidé de tout arrêter. C'était rendu que j'en avais besoin sans vraiment savoir pourquoi. Je paniquais quand j'avais peur d'en manquer même si j'en avais pas vraiment envie. Pas fort…

— Tant mieux, mon grand. Ça me soulage d'entendre ça.

Elle est restée silencieuse un moment avant de continuer :

— Je vais divorcer de ton père, Fred.

La nouvelle ne m'a pas tellement surpris. Ça m'aurait surpris quelques jours plus tôt, mais pas avec ce qui venait de se passer. Je savais que ma mère lui avait donné plus de chances que nécessaire. Ce qui me surprenait le plus, c'était que ça me laissait complètement indifférent.

— Tu fais bien, je trouve.

— Je sais que t'as dû me trouver bien idiote des fois, mais je voudrais t'expliquer maintenant. Quand je me suis mariée avec ton père, je voulais passer le reste de ma vie avec lui. C'est sûr que tu penses pas à ça à ton âge, mais en vieillissant, tu te rends compte que même si c'est plus le même genre d'amour qu'au début, c'est bon d'être avec quelqu'un qui partage plein de souvenirs avec toi, qui te devine, qui est toujours là pour toi. Et moi, je m'accrochais à ça. Je *voulais* ça. Je le voulais tellement que j'me fermais les yeux pour pas voir que c'était pas ça qui s'en venait. Je l'ai tellement aimé, ton père ! Toutes les années où il buvait normalement, un verre de temps en temps comme tout le monde, on en a eu, des vraiment beaux moments. Je voulais que ça dure pour toujours et je me disais que c'était possible. Pourquoi pas ? Quand il s'est mis à boire, j'aurais dû réagir, mais je voulais pas de chicane. Je voulais surtout pas m'avouer qu'il avait un sérieux problème. Il y en a des alcooliques qui s'en sortent et qui arrêtent complète- ment ; ça a marché pour lui pendant plusieurs années, quand même. Mais je savais qu'au fond, il fallait juste une petite étincelle pour que ça recom- mence. C'est vrai que j'ai été stupide, mais j'avais des bonnes intentions.

— Je le sais, maman, que tu voulais que ça marche. T'as pas été stupide. Est-ce que c'est à cause de moi que tu l'as pas fait avant ?

— Peut-être que oui, peut-être que non. Je le saurai jamais, mais je regrette rien, Frédérick. T'es la meilleure chose qui soit arrivée dans ma vie et même si j'ai l'impression d'avoir gaspillé plein de belles années avec ton père, je sais que j'ai eu le plus beau cadeau que la vie pouvait me faire : toi. J'te le dis pas assez souvent, mais je suis fière de toi, de l'homme que t'es devenu. Et même si ça fait pas ton affaire, t'es devenu qui tu es en partie à cause de ton père. S'il avait été autrement, peut-être que toi, tu serais toujours sur le party. Je suis certaine que t'as des amis qui le sont. Ça a fait de toi quelqu'un de solide et faut jamais que tu l'oublies.

— Je l'haïs, maman, tu peux pas savoir...

— Je sais que t'es fâché après lui, et t'as toutes les raisons de l'être. Mais que tu le haïsses, ça, je sais pas. Il a pas été le meilleur père, mais c'est quand même le seul que t'auras jamais. Au lieu de perdre de l'énergie à le détester, utilise ce que t'as appris à cause de lui pour devenir une bonne personne.

Je ne savais pas si elle avait raison ou non. Il y avait encore le p'tit gars en moi qui aurait voulu que son père soit fier de lui. Oui, j'aurais voulu que mon père soit normal – c'était juste ça, son problème – et j'aurais voulu être capable de lui pardonner de ne pas l'être. Non, il n'était pas parfait, mais on avait quand même eu de bons moments et je ne voulais pas laisser les mauvais effacer les bons. Ça me déprimait vraiment, tout ça, et je n'avais pas le goût d'y penser.

— Qu'est-ce que tu vas faire, là ?

Un long silence a suivi ma question. Elle devait

réfléchir et se demander quoi répondre. Ça ne devait pas être très clair pour elle.

— J'ai quarante-six ans, je suis pas en train de mourir. Ce que je vais faire, c'est me refaire une nouvelle vie. Faut que je te dise quelque chose…

Elle avait l'air gênée, son visage était tout rouge. Je l'ai trouvée encore belle pour son âge. Comment mon père avait-il pu s'arranger pour la perdre ? Elle se tordait les mains et avait l'air de ne pas savoir comment continuer. Enfin, elle a repris la parole :

— L'année passée, tu le sais, le magasin a été racheté. Le nouveau propriétaire… euh, eh bien, il s'est jamais rien passé, j'aurais pas fait ça, mais… c'était réciproque et il m'a toujours dit que… bien, t'sais, que…

— Maman, sors-le !

— Bon, OK. Quand j'ai rencontré François, le nouveau propriétaire du magasin, ça a été comme un coup de foudre. Pour lui aussi. J'ai vraiment pensé à quitter ton père un moment donné, mais j'ai décidé de lui donner encore une chance. Il s'est rien passé avec François. Par contre, il m'a toujours dit que si un jour je me décidais à quitter ton père, il serait là. Et je pense que là, maintenant, j'ai envie de savoir comment ça serait avec lui. Je sais pas si j'ai le droit, par exemple. Ton père est mal pris, je me sentirais vraiment pas bien de lui faire ça au moment où il a le plus besoin de moi… Je vais peut-être attendre de voir ce qui va se passer, je sais plus. J'ai rien fait de mal, mais j'me sens coupable quand même. Je sais que je peux rien faire pour lui, que je l'aime plus depuis longtemps, sauf que si je l'abandonne maintenant, qu'est-ce qui va lui arriver ? Je l'aime plus, mais je lui souhaite quand même pas du mal !

Elle pleurait. Je me suis approché d'elle.

— Maman, s'il est rendu là, c'est juste de sa faute à lui. Tu peux pas l'aider. Tu le sais qu'il va probablement se ramasser en prison. Tu vas faire quoi, toi, l'attendre ? Et l'attendre pour quoi ? Penses-tu que tu pourrais continuer à vivre avec lui comme avant ?

— Non, je pense pas. Sauf que la prison, ça va le démolir, Fred. Peux-tu imaginer ?

Non, oui, je ne savais plus. Mon père avec un habit de prisonnier, marchant en rond dans une cour de prison, poireautant dans une cellule. Je n'arrivais pas à l'imaginer. Sauf que ma mère ne pourrait pas y aller avec lui, ni à sa place, et c'était certain que plus rien ne serait comme avant.

— Tu l'as déjà assez attendu, me semble. Faut que t'oublies tout ce qui s'est passé avant, maman. Y a plus rien qui va jamais être pareil. Si t'as une chance d'être heureuse, me semble que tu devrais la prendre. Même si t'attendais que tout soit réglé, d'une manière ou d'une autre, ça sera pas plus facile après. Papa, va juste falloir qu'il se débrouille, non ? Nous autres aussi, sans lui. Les dettes, la boisson, les mensonges, c'est pas toi qui les as faits, c'est lui. Mais là, es-tu en train de dire que tu t'en vas vivre avec c'te François-là ?

J'avais souri en demandant ça. Je voulais qu'elle se sente à l'aise de tout me dire et lui montrer que j'étais d'accord avec ce qu'elle déciderait de faire. Elle est plutôt devenue encore plus sérieuse :

— Bin non ! Pas tout de suite, en tout cas. Mais mon grand... il faut que je retourne chez ma sœur. Tu peux venir si tu veux : y a de la place pour toi. J'ai pas le choix de mettre la maison en vente. Je vais rembourser les dettes de ton père, placer la moitié de ce qui reste pour lui et l'autre moitié, je vais la mettre à la banque. On verra ce qui va se passer.

Ouf. Elle m'avait dit ça en me regardant droit dans les yeux et j'avais pu voir combien elle s'en voulait de m'imposer ce genre de choix. Ça me faisait effective-ment de grosses décisions à prendre, à moi aussi, et beaucoup à avaler en même temps. Par contre, j'étais content de voir que ma mère pensait enfin à elle. Je ne savais pas si le fait qu'elle avait quelqu'un d'autre l'aidait, mais je me disais que oui. Ça aussi, c'était bizarre, imaginer ma mère avec un autre homme. J'avais un tas de sentiments contradictoires envers ma mère et mon père. Oui, vraiment, je n'avais jamais été aussi mélangé.

* * *

Couché avec ma blonde, je relaxais pendant qu'elle essayait de me faire « parler de mes sentiments ».

— *Come on,* Fred, je peux pas croire que tu sois pas plus à l'envers que ça. Ton père va probablement aller en prison et on sait même pas pendant combien de temps. Ta mère a un nouveau chum, elle vend la maison et tu dois décider où tu t'en vas. Dis-moi comment tu te sens, ça va aller mieux, après.

— J'ai rien à dire, j'te jure ! Oui, je suis mélangé, oui, ça m'écœure, tout ce qui se passe et oui, j'ai des décisions à prendre, mais j'ai pas vraiment envie d'en parler. Je sais pas quoi en dire, c'est tout !

— Tu peux pas garder tout ça en dedans, Fred, ça va finir par t'empoisonner.

— Argh, Saja, je sais que tu veux bien faire, mais des fois, quand un gars dit qu'il a pas besoin de parler, c'est juste… parce qu'il a pas besoin de parler.

— Oui, mais des fois, un gars dit qu'il a pas besoin de parler, mais c'est juste parce qu'il sait pas comment.

— C'est pas ça, j'te jure ! Si c'était ça, j'te le dirais.

— Pour vrai ?

Elle avait vraiment l'air sceptique.

— Pour vrai, mon amour.

Ça l'enrageait et moi, ça m'agaçait. Je savais qu'elle

317

avait raison jusqu'à un certain point, que j'aurais pu avoir besoin de parler. Mais elle n'arrivait juste pas à comprendre que là, maintenant, tout ce que je voulais faire, c'était justement penser à autre chose. Ça ne servait à rien de me demander pourquoi tout ça était arrivé, comment ça aurait pu être évité, ce que j'aurais pu faire ou dire. C'était comme ça et je n'y pouvais rien.

J'essayais le plus possible d'éviter mon père qui passait ses journées à la maison en attendant son jugement. Il n'avait pas le choix. Il ne pourrait pas conduire, non plus, pendant probablement plusieurs années, et il n'avait pas de travail. Pas évident de chercher une job quand t'es en attente de passer devant un juge! Il a essayé de me parler plusieurs fois et ma mère m'a dit que quand elle lui avait mentionné le divorce, il avait pleuré et lui avait dit qu'il voulait mourir. Il regrettait ce qui s'était passé, n'arrivait pas à croire qu'il ait blessé quelqu'un, qu'il nous ait fait tant de mal, à ma mère et moi. Il suppliait ma mère de lui donner une dernière chance, mais elle a réussi à rester ferme en lui disant qu'il les avait gaspillées, ses dernières chances. Je la trouvais impressionnante. Lui, il faisait pitié, mais pas assez pour que j'aie envie de l'aider, et je trouvais des excuses pour ne pas lui parler chaque fois qu'il venait cogner à ma porte.

Heureusement, il se passait plein d'autres choses

plus plaisantes ailleurs dans ma vie, comme le band, notre nouveau gérant, les sessions de studio qui approchaient et le fait qu'il fallait qu'on trouve quelqu'un pour jouer de la guitare acoustique sur la nouvelle chanson en studio. Je me concentrais sur des affaires agréables; ça m'empêchait de me morfondre en pensant au reste. Les autres affaires qui se passaient dans ma vie, je ne pouvais pas les changer, alors je regardais en avant. C'est tout. Pas si compliqué, me semble!

Saja a raconté aux autres ce qui s'était passé et ça faisait mon affaire. Tout le monde m'a démontré sa solidarité d'une façon ou d'une autre, avec un sourire, une main sur l'épaule ou un: «On est là si t'as besoin de quelque chose» sans poser de questions. Parfait. Je n'avais vraiment pas le goût d'avoir les opinions et les commentaires de tout le monde là-dessus. Donc, pendant que mon père attendait de savoir ce que sa vie deviendrait, que ma mère mettait la maison à vendre et entamait les procédures de divorce, moi, je me plongeais dans ma fin de session et dans la progression d'Existence. Celle du band et mon existence à moi aussi.

CHAPITRE 24

La vie, en avant...

Le concours avec la station de radio nous avait fait gagner des heures de studio. Notre but, avec l'aide de notre nouveau gérant – celui qui devait aider le défunt ZigZog – était d'enregistrer nos quatre meilleures chansons et de les envoyer à des compagnies de disques. On allait participer à la finale nationale et on savait que plusieurs représentants de compagnies allaient assister au show. Il fallait absolument qu'on leur ait envoyé notre démo avant pour qu'ils nous remarquent encore plus.

On a commencé les enregistrements et comme c'était ma première fois dans un « vrai » studio, j'ai été complètement renversé. C'était *ça* que je voulais faire dans ma vie. J'adorais la scène, mais le studio était aussi tripant, plus même, d'une autre façon. Il n'y avait pas autant d'excitation et d'adrénaline qu'en jouant *live* ; par contre, les possibilités étaient tellement infinies que j'aurais pu y passer toutes mes journées et toutes mes nuits.

On a trouvé une fille pour jouer notre quatrième chanson, *Dans mon miroir*. Elle s'appelait Carolanne et elle était vraiment bonne. Très belle, en plus. On avait donc trois belles filles dans le band, c'était bon, les juges aiment ça, d'habitude. Quand on n'était pas au studio, j'étais avec Saja et le band. On ne voyait presque plus Mélodie, et plus le temps passait, plus ça devenait un sujet délicat avec ma blonde. Il y avait des semaines, des mois, même, qu'elle m'en parlait. Elle s'inquiétait pour son amie d'autant plus que tout semblait aller de travers pour elle : ses parents s'étaient séparés dernièrement, son père avait une nouvelle blonde à peine plus vieille que Mélo et, pour finir, elle venait d'apprendre que sa mère avait le cancer. Mais Mélo n'était jamais disponible quand Saja essayait de la voir, et ma blonde pensait qu'elle avait un nouveau chum que personne ne connaissait. Elle trouvait ça difficile de ne pas arriver à la rejoindre, à la faire parler.

— Peut-être que t'essaies trop, justement. Peut-être qu'elle non plus, elle a pas toujours envie de parler.

On s'est presque chicanés à cause de ça et comme je ne voulais pas que ça dégénère, je n'ai pas posé d'autres questions. Jusqu'au jour où ça a vraiment éclaté. Saja avait organisé un spectacle amateur à son école pour financer le bal, et Mélo devait l'aider. Oh, elle l'avait aidée, mais ce soir-là, elle s'est fait prendre à boire de la vodka dans l'école. Elle n'a pas été suspendue parce que comme sa mère était malade, le directeur a conclu que Mélo passait un mauvais moment et qu'elle avait juste besoin de « se ressaisir ». On lui a quand même interdit d'aller au bal, et Saja trouvait que c'était exagéré. Elle m'a dit que Mélo s'en foutait, et je pouvais le croire, car j'avais un peu été dans le même mood. Sauf que le lendemain, Sarah-Jeanne l'a vue et Mélo était complètement gelée. Elle a aussi vu son nouveau chum, un gars dans la vingtaine qui avait, selon ma blonde, l'air louche. Elle n'aimait pas ça et plus le temps passait sans qu'elle puisse lui parler, plus elle capotait.

Le seul moment où elle arrivait à arrêter d'y penser, c'était en studio. Là, elle partait dans sa bulle et elle m'éblouissait chaque fois. Les cours de chant avaient vraiment fait une différence. La voix de Sarah-Jeanne avait pris une maturité, une richesse qui m'étonnait. Autre bonne nouvelle : j'ai envoyé nos premiers enregistrements au batteur de Hors La Loi, qui m'avait demandé de le tenir au courant de tout ce qu'on faisait. Il avait été vraiment impressionné et les autres gars du band avaient décidé de nous aider. Ils venaient au studio une fois par semaine, écoutaient ce qu'on avait fait et nous faisaient des suggestions, toujours excellentes. Plus ça avançait, plus on tripait.

Mon père a fini par passer devant le juge. Je ne voulais pas y aller même si ma mère aurait aimé que je l'accompagne. Ma blonde disait que je devais arrêter de bouder, mais ce n'était pas ça que je faisais. Je refusais d'assister à ça et je sentais que mon père ne voulait pas nécessairement que j'y sois non plus. J'avais honte de lui, mais il n'était pas particulièrement fier non plus. Je l'avais laissé entrer chez nous un soir. C'est un homme fini que j'avais eu devant moi.

— Avant, j'étais un alcoolique qui avait de la misère à s'en sortir, Fred. J'avais une femme merveilleuse, un gars dont j'étais fier même si je le disais jamais, j'avais un emploi que j'aurais dû garder jusqu'à ma retraite. Là, je suis encore un alcoolique même si je peux plus boire. J'vais toujours être un alcoolique. Je suis malade, mon estomac fonctionne plus, mes reins en arrachent et j'ai perdu ma femme, ma maison, ma job, mon gars. En plus, j'ai un casier. Qu'est-ce qui me reste, Fred ? Rien.

Il pleurait. C'était juste des larmes qui coulaient en continu ; sa voix était celle d'un vieillard. J'essayais de ressentir quelque chose, mais j'avais juste du dégoût. Rien d'autre.

Il allait faire dix-huit mois dans un centre de réadaptation, autrement dit, une prison, et après, il en aurait pour au moins aussi longtemps à être obligé de se rapporter régulièrement, à n'avoir le droit de sortir que pour travailler ou faire des commissions. Il était chanceux, car ça aurait pu être pire. Ce qui l'avait aidé était qu'il reconnaissait ses torts, qu'il avait des remords et que la personne qu'il avait frappée s'en était quand même bien sortie.

La maison a fini par se vendre, et ma mère s'est trouvé un logement près de chez sa sœur. De mon côté, j'ai décidé de faire le saut. Je me suis trouvé un petit appartement dans un sous-sol près du cégep. C'était plus petit que chez mes parents, mais c'était tout ce que je pouvais me payer sans être pris à la gorge. Je continuais à donner mes cours de drum et à travailler autant d'heures que possible. Comme Sarah-Jeanne avait été acceptée au même cégep que moi, on se disait que peut-être elle pourrait me rendre visite, genre... à temps plein. C'était à voir.

Ma mère était bien, François avait l'air de la rendre heureuse, et c'était tant mieux. Ils avaient décidé de ne pas vivre ensemble tout de suite, de se laisser le temps de voir comment ça se passerait. Ma mère m'a dit qu'elle était allée à l'audience avec mon père et qu'elle avait eu tellement pitié de lui qu'elle avait presque regretté de l'avoir « lâché ». Mais mon père lui avait dit :

— Céline, je te souhaite d'être heureuse, y a personne qui le mérite plus que toi. T'aurais dû me quitter avant, ça m'aurait peut-être réveillé. Je regrette de pas avoir su t'apprécier, tu mérites tellement mieux que moi.

Elle pleurait en me disant ça, et je pleurais, moi aussi. Pour elle, c'était un cadeau qu'il lui faisait. Comme ça, elle n'avait plus besoin de se sentir coupable : elle pouvait tourner la page, enfin.

La première fois que j'ai rencontré François, j'étais nerveux. Il était complètement différent de mon père. C'était un gars calme qui ne parlait pas fort, et il regardait ma mère avec tellement de douceur et d'amour que je ne pouvais pas faire autrement que d'être content pour eux. C'est certain que ça faisait plus que drôle de les voir se tenir la main, mais comme je ne me souvenais pas d'avoir vu ma mère aussi souriante, j'aimais ça.

Ma blonde, pendant ce temps-là, s'excitait pour le bal. Je savais qu'elle était déçue parce que Mélo ne pouvait pas y aller. Elle se doutait que son amie n'y serait pas allée même si elle avait pu, car elle avait l'air de vivre sa vie loin de nous, et ma blonde, ça la tuait.

Je voulais que cette soirée-là soit spéciale pour elle. Je voulais qu'elle soit ce que la mienne aurait dû être : le début d'une nouvelle vie. C'est ça, au fond, la fin du secondaire. C'est vraiment là, je pense, qu'on devient des adultes. L'âge n'a pas tant d'importance. On n'a plus personne pour nous tenir la main, on choisit nous-mêmes si on va réussir ou non – ça dépend juste de nous. On a de vraies décisions à prendre et si on veut se pogner le beigne, on peut, mais faut assumer après. Pour Sarah-Jeanne, je voulais qu'elle regarde vers son avenir en souriant et... avec moi.

Sa mère était aussi énervée qu'elle, et Michel ne disait pas grand-chose. Je pense qu'il se retenait pour ne pas pleurer, c'en était presque drôle. C'était une belle journée d'été et on avait décidé de se rencontrer chez Saja pour les milliers de photos que sa mère voulait prendre.

J'avais trouvé un tuxedo noir et je trouvais que j'avais l'air un peu trop sérieux, mais ma blonde adorait mon look. Quant à elle, ouf... en la voyant, j'ai eu le souffle coupé comme si j'avais reçu un coup de poing au ventre. Comme une vraie fille, elle avait passé la semaine précédente, jusqu'au matin même, à se préparer : les ongles, la coiffure, les bijoux, les accessoires, tout était parfait, elle avait l'air d'une vedette de cinéma. Elle avait choisi une robe rouge moulante, pas tellement flash mais vraiment, vraiment classe. Et pas mal sexy. J'ai tout de suite pensé au moment où je la lui enlèverais, la fameuse robe...

J'avais insisté pour que Saja aille à l'après-bal. C'était sa soirée. Elle voulait sûrement la passer au complet avec tous ceux qu'elle avait côtoyés au secondaire, mais elle m'avait rappelé qu'elle n'était à cette école que depuis deux ans et que ceux qu'elle tenait à voir étaient là, avec nous, et comme on finirait la soirée tous ensemble, c'était parfait. Donc, au lieu de planifier aller à l'après-bal, on avait loué des chambres dans un hôtel chic du centre-ville pour fêter en band.

Cassandra était des nôtres chez Sarah-Jeanne, avec Olivier. Ces deux-là étaient dans leur phase d'amour total borderline niaiseux. Ils se regardaient dans les yeux et ne voyaient ni n'entendaient rien d'autre, ne s'occupant que l'un de l'autre. C'était cute même si c'était un peu exagéré. On était passés par là, Saja et moi, alors au fond, je ne pouvais pas vraiment les critiquer. Cassandra était belle dans sa robe rose et son petit frère n'arrêtait pas de l'agacer. Elle l'adorait, c'était évident, et lui aussi, d'ailleurs.

La mère de Sarah-Jeanne prenait des tonnes de photos, le père de Cassandra aussi. Je ne connaissais pas tellement son histoire, mais Sarah-Jeanne m'avait dit que la mère de Cassandra était un peu folle, alors elle n'était pas surprise qu'elle ne soit pas là. Parfait. Je ne tenais pas à voir une folle ce jour-là, et si ma blonde avait dit ça, elle qui ne parle *jamais* contre quiconque, ça devait être quelque chose. Julianne était là, elle aussi, avec Simon-Pierre, Carolanne, son ami Renaud et Ély, qui avaient déjà eu leur bal la semaine précédente. Ély aussi multipliait les photos, nous faisant prendre des poses drôles, stupides ou franchement débiles.

La mère de Saja était supposée nous emmener au bal. C'est pour ça que quand on a vu la Mercedes blanche décapotable arriver, on ne s'est pas posé de questions. C'est juste quand on a vu le père de Cassandra, habillé en chauffeur avec la casquette et tout, se stationner et ouvrir les portes, on a tous été vraiment surpris. On s'est tassés en arrière, Oli, Saja et moi, et Cassandra s'est assise en avant avec son père. La mère de Saja a apporté des foulards pour protéger les coiffures des filles et on est partis.

Sur l'autoroute, avec le vent chaud qui nous soufflait dessus, j'ai fermé les yeux.

J'avais ma blonde collée contre moi et j'étais bien. Ça n'avait pas toujours été facile, mais j'étais content d'être où j'étais malgré tout. J'aurais aimé ça que les choses finissent différemment pour mon père, mais ce qui était arrivé était sa faute et comme il le disait lui-même : « Être un homme, c'est en premier assumer les conséquences de ses gestes. » Je l'admirais pour ça et je me disais que si j'étais encore capable de l'admirer, peut-être qu'un jour on pourrait être... quoi ? des amis ? Peut-être.

En attendant, je sentais que l'année qui s'en venait allait être une bonne année. C'est là que j'ai décidé aussi que, quand ça va bien, c'est facile de penser que ça va toujours continuer de même. Peut-être que des fois y a des affaires plates qui arrivent, mais ça veut pas dire que ça n'ira plus jamais bien et à cause de ça, il faut vraiment profiter des bons moments pendant qu'ils passent.

Maintenant, je le sais.

Cool.

À venir...

Des fois, je suis tanné d'être qui je suis. D'être Nico, le joueur étoile au hockey, d'être Nico, le «bon gars» pour mes amis, le fils idéal pour mes parents.

Des fois, je voudrais arrêter de me sentir coupable envers Ély, et juste tripper avec Gabrielle sans me poser de questions.

Des fois, je voudrais ne jamais avoir rencontré Gabrielle et ne jamais avoir fait de mal à Ély.

Des fois, je voudrais juste tout lâcher: l'école, le hockey, les filles, penser à rien, passer des fins de semaine à niaiser comme mes chums sans avoir à dealer avec les entraînements, la maudite pression, sans me sentir obligé d'être tout le temps parfait.

Non, j'suis pas parfait, loin de là. Si on demandait à Ély, celle avec qui j'étais sûr que j'allais passer pas mal d'années de ma vie, celle que j'ai tellement blessée, elle le dirait, elle, que je suis pas parfait. En fait, elle dirait sûrement qu'elle va m'en vouloir pour toujours.

Elle a sûrement raison.

Note de l'auteure

Vous êtes nombreux, chères lectrices et chers lecteurs, à m'écrire pour partager vos histoires, votre vécu, ou pour témoigner de la façon dont vous êtes arrivés à surmonter des moments ou des situations difficiles, parfois même tragiques. Vous ne savez pas à quel point ça me touche... les histoires que vous lisez dans mes livres sont inspirées par vous et je vous remercie du fond du cœur de partager tout ça avec moi. Cependant, plusieurs personnes ne savent tout simplement pas où aller pour obtenir l'aide dont elles ont besoin et c'est notre devoir, en tant qu'individus puis en tant que société, de les guider le mieux possible.

Il existe une foule d'hommes et de femmes qui détiennent les compétences, l'expérience et surtout la générosité nécessaire pour aider des personnes qui souffrent. Pour chaque problème, il y a une solution. Je vous invite donc, chers vous, à ouvrir les yeux, tendre l'oreille et surtout la main pour guider quelqu'un de votre entourage qui est peut-être aux prises avec une situation difficile. Faut pas rester seul, quand on souffre...

Un tout petit geste peut faire une énorme différence et chacun de nous a réellement la possibilité de changer une vie. Pour vrai.

Comme je le dis souvent : ensemble on est plus forts, c'est pas juste dans les romans… ;D

www.toxquebec.com
info@toxquebec.com
514 288-2611

Association québécoise
de prévention du suicide

www.aqps.info
reception@aqps.info
1 800 277-3553
(1-866-APPELLE)

www.jeunessejecoute.ca
1-800-668-6868

www.sosgrossesse.ca
1-877-662-9666
418 682-6222

www.gaiecoute.org
1-888-505-1010
514 866-0103

DONNEZ AUX LIVRES   **UNE NOUVELLE VIE**

La fondation *Cultures à partager* récupère vos livres inutilisés et les distribue aux enfants des pays en voie de développement pour leur donner accès à l'alphabétisation.

Pour connaître le dépôt de livres usagés le plus près de chez vous, composez le **514-282-1550** et visitez le site Internet : **www.culturesapartager.org**

MARQUIS

Québec, Canada

Achevé d'imprimer le 16 septembre 2013

RECYCLÉ
Papier fait à partir
de matériaux recyclés
FSC® C103567

Imprimé sur du papier Enviro 100% postconsommation
traité sans chlore, accrédité ÉcoLogo et fait à partir de biogaz.

100%   PERMANENT   **BIO GAZ** ÉNERGIE